故宫经典 CLASSICS OF THE FORBIDDEN CITY
SCULPTURES IN THE COLLECTION OF
THE PALACE MUSEUM

故宫雕塑图典

故宫博物院编
COMPILED BY THE
PALACE MUSEUM

故宫出版社
THE
FORBIDDEN
CITY
PUBLISHING
HOUSE

图书在版编目（CIP）数据

故宫雕塑图典 / 故宫博物院编．── 北京 ：故宫出版社，
2012.3（故宫经典）（2014.3 重印）ISBN 978-7-5134-0251-4

Ⅰ．①故… Ⅱ．①故… Ⅲ．①雕塑－中国－古代－图集 Ⅳ．
① K879.32

中国版本图书馆 CIP 数据核字 (2012) 第 052505 号

编辑出版委员会

主　任　郑欣淼

副主任　李　季　李文儒

委　员　纪天斌　王亚民　陈丽华　宋纪蓉　冯乃恩

　　　　余　辉　胡　锤　张　荣　胡建中　闫宏斌　朱赛虹

　　　　章宏伟　赵国英　傅红展　赵　杨　马海轩　娄　玮

故宫经典
故宫雕塑图典

主　　编：胡国强
副 主 编：王全利
撰　　稿：冯贺军　田　军　何　欣
摄影统筹：冯　辉
摄　　影：赵　山　马晓旋
图片资料：故宫博物院资料信息中心
责任编辑：冯印淙　王志伟
装帧设计：赵　谦
出版发行：故宫出版社
　　　　　地址：北京市东城区景山前街 4 号　邮编：100009
　　　　　电话：010-85007808　010-85007816　传真：010-65129479
　　　　　网址：www.culturefc.cn　邮箱：ggcb@culturefc.cn
制　　版：北京圣彩虹制版印刷技术有限公司
印　　刷：北京盛通印刷股份有限公司
开　　本：889 毫米 ×1194 毫米　1/12
印　　张：24
图　　版：280 幅
版　　次：2012 年 3 月第 1 版
　　　　　2014 年 3 月第 2 次印刷
印　　数：2501 ～ 5000 册
书　　号：ISBN 978-7-5134-0251-4
定　　价：320.00 元

经典故宫与《故宫经典》

郑欣淼

故宫文化，从一定意义上说是经典文化。从故宫的地位、作用及其内涵看，故宫文化是以皇帝、皇宫、皇权为核心的帝王文化和皇家文化，或者说是宫廷文化。皇帝是历史的产物。在漫长的中国封建社会里，皇帝是国家的象征，是专制主义中央集权的核心。同样，以皇帝为核心的宫廷是国家的中心。故宫文化不是局部的，也不是地方性的，无疑属于大传统，是上层的、主流的，属于中国传统文化中最为堂皇的部分，但是它又和民间的文化传统有着千丝万缕的关系。

故宫文化具有独特性、丰富性、整体性以及象征性的特点。从物质层面看，故宫只是一座古建筑群，但它不是一般的古建筑，而是皇宫。中国历来讲究器以载道，故宫及其皇家收藏凝聚了传统的特别是辉煌时期的中国文化，是几千年中国的器用典章、国家制度、意识形态、科学技术，以及学术、艺术等积累的结晶，既是中国传统文化精神的物质载体，也成为中国传统文化最有代表性的象征物，就像金字塔之于古埃及、雅典卫城神庙之于希腊一样。因此，从这个意义上说，故宫文化是经典文化。

经典具有权威性。故宫体现了中华文明的精华，它的地位和价值是不可替代的。经典具有不朽性。故宫属于历史遗产，它是中华五千年历史文化的沉淀，蕴涵着中华民族生生不已的创造和精神，具有不竭的历史生命。经典具有传统性。传统的本质是主体活动的延承，故宫所代表的中国历史文化与当代中国是一脉相承的，中国传统文化与今天的文化建设是相连的。对于任何一个民族、一个国家来说，经典文化永远都是其生命的依托、精神的支撑和创新的源泉，都是其得以存续和赓延的筋络与血脉。

对于经典故宫的诠释与宣传，有着多种的形式。对故宫进行形象的数字化宣传，拍摄类似《故宫》纪录片等影像作品，这是大众传媒的努力；而以精美的图书展现故宫的内蕴，则是许多出版社的追求。

多年来，故宫出版社（原紫禁城出版社）出版了不少好的图书。同时，国内外其他出版社也出版了许多故宫博物院编写的好书。这些图书经过十余年、甚至二十年的沉淀，在读者心目中树立了"故宫经典"的印象，成为品牌性图书。它们的影响并没有随着时间推移变得模糊起来，而是历久弥新，成为读者心中的故宫经典图书。

于是，现在就有了故宫出版社的《故宫经典》丛书。《国宝》、《紫禁城宫殿》、《清代宫廷生活》、《紫禁城宫殿建筑装饰——内檐装修图典》、《清代宫廷包装艺术》等享誉已久的图书，又以新的面目展示给读者。而且，故宫博物院正在出版和将要出版一系列经典图书。随着这些图书的编辑出版，将更加有助于读者对故宫的了解和对中国传统文化的认识。

《故宫经典》丛书的策划，无疑是个好的创意和思路。我希望这套丛书不断出下去，而且越出越好。经典故宫藉《故宫经典》使其丰厚蕴涵得到不断发掘，《故宫经典》则赖经典故宫而声名更为广远。

目 录

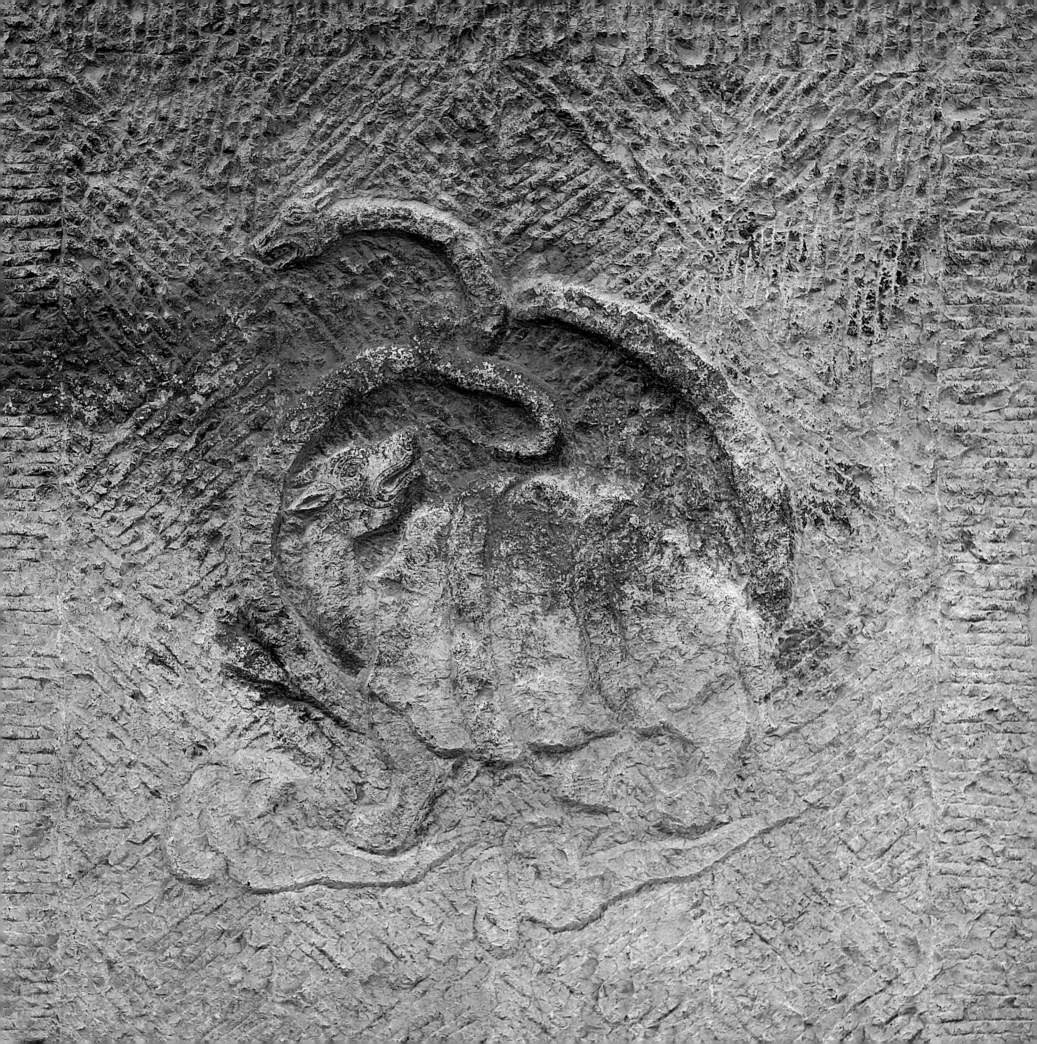

俑

古代陶俑与明器

田军

陶俑与明器，是中国古代专门用于丧葬的随葬制品。明器，又称"冥器"、"盟器"。常以陶、木、泥、瓷、石以及金属等质料，模仿各种礼器、兵器或生活用器、工具的形状，还有人物、动物形象，车船、家具、建筑模型等。从新石器时代开始，历代墓中都有发现。陶俑，是明器的一种，它不仅体现着当时雕塑艺术的成就，也蕴涵着社会生活、风俗习惯、丧葬信仰等非常丰富的内容，是人们了解历史、研究古代社会的珍贵实物资料。

关于俑的概念，目前尚无明确界定。在古代文献中，俑即偶人，专指人物类明器。如《礼记·檀弓下》载："涂车刍灵，自古有之，明器之道也。孔子谓为刍灵者善，谓为俑者不仁，不殆于用人乎哉"，郑玄注曰："俑，偶人也，有面目机发，有似于生人"。《孟子·梁惠王》载："仲尼曰：'始作俑者，其无后乎！'为其象人而用之也"，赵歧注云："俑，偶人也，用之送死"。而在文物考古工作中，则多将动物类明器和人物类明器，一并归入俑的范畴。从考古发掘所获资料看，俑的质料，有陶、木、泥、瓷、石以及金属制品等，新疆地区的墓葬中还发现有草扎的人形和面捏的人头。俑的形象，大多是模拟当时的人物，如奴仆、歌舞、伎乐、官吏、兵士、仪仗等，并常附有牲畜、家禽等各种动物造型和一些日用器具、建筑模型等，还有镇墓压胜的神异之物。此外，也有些玉、石雕刻的人像，有可能是死者生前珍爱之物，死后埋进坟墓的。如侯家庄商代墓、小屯妇好墓出土的石人和玉人等，从功能上看，或为装饰用品，或与巫术活动有关。虽然出土于墓葬，但不一定是专门为随葬制作的俑。

俑产生于何时，论者多认为与"以生人为殉"的丧葬制度密切相关。古代陪葬，最初是用活人为死者殉葬。这种人殉现象早在原始社会晚期的大墓中已有个别存在，而奴隶制国家人殉则非常普遍，到了商代人殉发展达到顶峰。在商王畿和四方邻国，都实行残酷的杀祭和人殉制度。当时奴隶和牲畜被大量杀戮作为陪葬，在已发掘的殷商王室贵族墓中，人殉数量少者一、二，多者数十或数百。西周时期，人殉之风仍盛，直至春秋前期，人殉现象还在流行。东周时期，是社会进入大动荡和大变革的时期，人们的思想观念发生了极大的变化，人殉之风在受到社会普遍抵制的情况下开始收敛，而以模拟真人形貌的偶人陪葬渐成趋势。目前所见时代最早的俑是商代的。如1937年河南安阳小屯商代都城殷墟出土的男、女囚徒形象，泥质灰陶，捏塑，手上戴着桎梏。其作为随葬品是无疑的，它的功用目的与一同陪葬的人殉是一致的，与后世称谓"俑"的概念亦相吻合。这说明，商代不仅是活人、动物殉葬的盛行期，也是殉俑产生和形成的肇始即滥觞期。

商到春秋时期，俑制作尚处在初期阶段，造型粗简，塑造形象朴拙，略具人物模样而已，并不追求俑塑的艺术手法，也谈不上俑的细部刻画和表情描绘。到春秋战国时期殉俑现象渐多，墓中出土的俑表现也较为生动活泼，如山东临淄郎家庄1号墓陪葬坑出土的几件小型陶俑，女舞俑躬立或跪地作舞蹈状，身施红、黄黑、褐等彩色条纹；武士俑披甲，似有武器持在手中。山西长治分水岭14号墓出土的小陶俑，头上梳髻，长裙曳地。有的身向前躬，有的双手上举，有的交手于腹前，抬头仰面，似在舞蹈，人物姿态动作生动有力。可以说是从运动中表现生活和塑造人物形象，取得成功最早或较早的尝试，与殷墟囚徒俑的粗糙、人体比例失真相比，已经有了长足的进步。

战国时期，在葬制葬俗方面的重要变化，就是用俑随葬代替了残酷的人殉。以湖南长沙、湖北江陵、河南信阳等地的楚墓出土木俑最多，造型、工艺也最具特色。木俑的制作，头部与身躯多用整木雕成，也有分雕后接合的。一般只雕出肩以上的具体轮廓，胸以下为扁圆柱状，或呈八棱形，略具身躯的形态。手臂与俑身，或整体雕出，或分体雕刻后，再接合成一体。木俑一般都很注意面部、眼神的刻画；躯体动作的雕造颇为简练；于口、鼻、眉、眼等重要部位，在立体造型的基础上，利用绘画手法加以涂染勾描；服饰纹样，除利用天然丝织品来装扮外，则大抵以彩绘表现之，从而在我国开启了一种独具特色的彩绘与雕塑相结合的传统。河南洛阳、辉县、山西长治和山东临淄等地出土的陶俑也很引人注目；河南洛阳、新疆等地还曾出土铜、银、铅铸造的金属俑。这时期陶俑的个体都比较小，高度不过数厘米，有男有女，身施彩绘，或有的披甲，或有的张口瞪目，有的作舞蹈姿态，面目衣饰不作精细的刻画，但姿态动作变化多端，极其生动而富有风趣。俑的身份都是地位卑下的奴仆，但工匠们在形象塑造中，却能表现出形态与神情的力和美。在制法上基本沿袭了史前陶塑作品捏塑与锥划结合的方法，模制成形似尚未采用。而到秦汉之际，陶俑的制作已广泛采用模制的方法，同时更注重对于表现对象各部位真实比例的把握，将陶俑制作推向一个新的阶段。

秦俑，就目前所见几乎是唯一的秦代雕塑艺术的代表。陕西临潼秦始皇陵附近出土的大量陶制彩绘兵马俑，有身穿铠甲的武士，着战袍的兵卒，手执各种制作精良的武器，也有马匹和战车，它们军阵庞大，队列严整，肃穆静立，而寓有动意，生动具体地反映了秦朝武装力量的强大阵容与赳赳雄姿。秦兵马俑大都是采用模、塑结合的方法，分块制作，套合粘接成初胎，再于表面覆加细泥，运用塑、捏、堆、贴、刻、画相结合的技法，把人物性格的造型特征，揉合于艺术形象之中。无名工匠创作并烧制

出的兵马战阵陶俑群，形体与真人、真马尺寸相当，写实逼真，数量巨大，不仅是对当时社会政治军事生活的有力概括，也是在战国俑塑艺术成就基础上的一个飞跃发展，标志着对生活的观察认识能力和表现技艺的迅速提高。

"汉承秦制，又袭楚风"，汉俑制作既生动精细，又富有生活情趣。汉人梦想死后在另一个世界里永远持续的享受奢华生活，几乎将一切人生日常应用之物，都用陶塑仿制出来，作为随葬品放进坟墓中。除器用类明器外，还有雕刻、塑造的大量人物，使役的男女形象；也有鸡、狗、马、羊各种禽畜牲畜造型以及房屋、楼阁、猪圈、羊圈、仓廪、碾碓、井灶之类的模型等。西汉初期，以西安任家坡及咸阳杨家湾西汉墓陪葬坑出土的彩绘女侍俑和骑马俑最为精彩。女侍俑有的抱手胸际，膝盖着地，脚掌向上，双趾内向交叠，作臀压脚上的静坐姿势；有的两手半握，拳眼上下相对，作拥物侍立状。人物面庞丰满，衣着华丽，比例匀称，体态端庄，富有个性。骑马俑有的披铠甲，一手握缰绳，一手举兵器；有的作舞蹈、奏乐、指挥等姿态。马则有的静立，有的昂首嘶鸣。它们威武生动，构成阵容雄伟的骑兵群，其表现具有明显的秦俑风格。虽然形体没有秦俑那么大，但艺术表现力却比秦俑高超。济南市北郊无影山南坡的西汉墓曾出土一组彩绘乐舞、杂技、宴饮陶俑。无名匠师成功地塑造了20多个具有各种特点的人物群像。在整个场景中，观众、乐队、表演者之间安排井然有序，人物主次分明。形象刻画不是面面俱到平均对待，而是将注意力集中在人物的姿态、动作和面部表情等方面。西汉中期前后，帝王和达官贵人的墓中经常出现一种裸体陶俑，如西汉景帝阳陵丛葬坑及宣帝杜陵的陪葬坑中出土的裸体缺臂陶俑，发式与秦俑相仿。从墓中残留痕迹看，这种俑原本另装木质臂膀再穿丝帛衣服，其做法应是楚风影响下的产物。西汉后期，墓葬中反映追求生活享乐、表示地主贵族拥有的奴婢和家畜财富等多了起来。到东汉时期，俑塑题材更加广泛。如四川东汉墓出土的"说书俑"，上身袒露，大腹平凸，左臂环抱一鼓，右手握着鼓槌，

张口露齿，笑容可掬。持铲、执箕俑，双手提桶女俑，庖厨俑等，嘴角流露出内心的微笑，塑造出乐观勤劳、善良可亲的劳动者形象。听琴俑、哺乳俑、各种舞蹈俑、吹奏俑、坐俑等，都塑造得朴实纯真，栩栩如生。汉俑，大多是陶塑再加敷粉、彩绘的，也有一些是用木雕或金属制成。发自内心的面部表情，是汉代雕塑艺术表现能力提高的一个重要方面。

汉代的家禽、牲畜等各种动物造型也很出色。许多动物造型，形体虽小，但制作精美，惟妙惟肖。如西汉陶鸭，成功地塑造了一只体态丰满的卧鸭形象，表现出和谐、自然、圆浑、质朴的美感。东汉陶子母鸡，表现出母鸡的"慈爱"和子鸡的"童趣"。河南辉县东汉墓出土的陶犬，有的昂首伫立，两耳伏后，尾部翘起，张口而吠；有的广肩细腰，竖耳长吻，尾部斜伸，四足右前左后，作行走状；也有的体型瘦小，竖耳翘尾，闭口不吠，伫立静听，表现出若有所待的样子。东汉的陶羊、陶猪、陶狐等，也都塑造得动感十足，充满活力。尤其卓越的是汉马形象，有的作静立状，有的作嘶鸣状，威武生动，浑厚简朴。以概括、夸张、对比的艺术手法，将那种饱满而健康的气质，充溢在造型之中。塑工们善于抓住各种动物神态的特点，形象地表现出来，给人以真切的感受。

魏晋南北朝，是封建军阀各据一方长期分裂的时代。曾在汉代广泛流行用俑随葬的习俗，到了魏晋时期，已不多见。陶俑发现数量较少，制作简陋，形态呆板，没有什么特色。孙吴时期的陶俑偶有发现，如南京赵土岗凤凰二年（273 年）墓出土的陶俑；武昌莲溪寺永安五年（262 年）墓出土的绿釉陶俑，塑造技艺拙劣，无甚艺术价值。两晋时期，以郑州、洛阳、南京、长沙等地晋墓中发现的陶俑来说，一般塑造技艺也未见提高，甚而有些退步。北方地区的俑，大都缺乏表情，少有变化。南方地区的俑，多为捏塑，人物憨态可掬，骑俑人和马的比例也不相称。西晋时在南方开始出现青釉瓷俑，制作工艺尚处在初创时期，故不能与同时期的俑相提并论。新

疆吐鲁番阿斯塔那地方相当于两晋时期墓葬中出土的木雕鞍马，造型特征与洛阳西晋墓出土陶马非常相似，可见当时的边地西陲与中原地区，在墓葬习俗及雕塑艺术风格上都有着相当大的一致性。

南朝，虽有陶俑发现，但数量较少。大体说来，南朝墓随葬俑趋于简化，一般只有少数男仆女婢俑、持盾武士俑或动物、牛车等。人物俑大多表情温和，形象端庄，颇具稳重感。如南京中央门外迈皋桥出土的南朝女侍俑，扎扇形头巾，穿广袖长衣，相貌清秀；江西南昌县小兰乡出土的南朝彩绘陶俑，女俑头扎扇形巾，男俑头顶小冠，面带微笑，拢手恭立，颇有南方风格特色，但造型比较单一。动物造型几乎都是四足伫立，形态千篇一律，缺少变化。

北朝，陶俑发现较多。俑的形式也很丰富，有按盾而立的武士、双手握剑、背负剑或乘骑铠马等形形色色的武士俑；也有多种男女侍从俑、伎乐组合俑、操持各种劳动工具的奴仆俑；有牵马、拉骆驼、驾牛车俑；有深目高鼻卷发的胡人俑；有人面兽身及兽面双翼的镇墓俑；还有陶制的鸡、鸭、羊、狗和子母猪等动物造型。每一墓葬，往往出土数十件，甚至一百数十件之多。早期的北朝陶俑，制作技巧仍不甚成熟，如西安草场坡出土的北朝早期陶俑，形象呆板古拙，只粗具轮廓状态。北魏孝文帝以后，俑塑艺术有了显著进步，并流行铅釉俑。各类人物俑形态写实，比例匀称自然。尤其人物俑极具北朝特点。如文吏俑，一般头戴冠，身着长袍、束带，穿长裤。有的拱袖而立，有的双手下垂，或双手按剑。还有鲜卑侍吏俑，头戴鲜卑帽，外披长袖大衣，双手拱于胸前。武士俑，以按盾武士俑最突出，全身甲胄，左手按盾而立，右手持有武器，形貌威武强悍。这种武士俑流行于北朝、隋、唐初，以后消失。北朝出现的甲士铠马俑，人马皆披铠甲，突出了鲜卑民族骑马善战的本色。其他男女俑，有的执用品，有的蹲坐持箕，有的奏乐，有的牵马，有的垂袖恭立，姿态各有不同，反映了当时的奴仆形象。这些陶俑，大都有生动自然的面部表情,而多数是发自内心的微笑。这种微笑,

因不同人物而有着多种微妙的差别。通过面部表情透露人物内在的喜悦情绪，是这一时期俑塑工匠普遍重视的艺术技巧，也是追求"气韵生动"表现得主要方面。

北朝陶俑，无论人物或动物的制作，都已突破了前代古拙生硬的作风。虽然大多为头、身躯分别模制，再拼接黏合而成，但多数作品都能做到姿态动作与面部表情和谐一致。在塑造人物方面，尤其注意神态的刻画，如纯真、智慧、愉悦、清秀的女俑与佛教雕塑中慈祥、和蔼、睿智的佛、菩萨像，有共通性，不仅继承汉代的优秀传统，还吸收了佛教艺术的特点。那些朴实勤劳的仆人形象，以及不可一世的武士形象等，都可看出作者对艺术形象创作的思想情感。就俑的本来性质而言，不过是供死者在冥间"驱使"的人物模型。但塑工们却并未降低艺术创造的职责，而不以简单模拟生活表象为满足。他们通过陶俑的制作，真实生动地反映了当时社会现实生活的若干个侧面，塑造出许多生活气息浓厚、装饰风格优雅的人物形象。在动物塑造方面，值得一提的是马和骆驼。北朝的陶马已有较高的写实技巧，封氏墓出土的一匹陶马，四蹄矫健、肌肉丰隆，马头有装饰，马背披着宽敞的鞍鞯，胸前饰璎珞，形象逼真。北魏元邵墓、东魏尧氏墓以及北齐张肃墓等出土的陶马，彩绘鲜明，形神兼备，表现得非常生动。在北朝时期的墓葬中开始流行骆驼俑，造型颇有特色。如司马金龙墓出土的绿釉骆驼；河北曲阳北魏墓以及元邵墓出土的骆驼等，有的昂首站立，四肢稳健有力，有的呈卧姿，背负坐垫，表现出耐劳任远的精神状态。

镇墓兽，是用于墓葬中镇邪压胜的明器。早在战国时期的墓中，已有木雕漆绘的镇墓兽随葬，但作为陶塑镇墓兽随葬，则大约始于北朝。其状先为简，后趋繁。如任家口北魏墓出土的一对陶镇墓兽，头上长角，身上有刺。曲阳北魏墓出土的镇墓兽，一为人面兽身，一为兽面兽身，身上均有长刺，表现恐怖。北齐张肃墓出土的镇墓兽，昂首竖耳，巨口獠牙，加之彩绘，更增神秘气氛。

隋唐五代时期，丧葬的内容与质量都有所改变。据《隋书》卷二十七、《旧唐书》卷四四、《五代会要》卷九载，各封建王朝的中央政府里，都设有供皇室显贵奢侈生活和丧葬礼仪所需物品的专门机构，如少府监的所属各署，将作监的甄官署等。甄官署即是管理"百工"、主持制造供陵墓所需的"碑碣、石人兽马"、"砖瓦、瓶缶"与"丧葬明器"的。

隋朝，虽然存在的年代不长，但有着一段时间的统一与安定，在物质生产和文化艺术的发展上，取得了一定的成就。从河南安阳发掘的开皇十五年（595 年）张盛墓、西安发掘的大业四年（608 年）李静训墓和大业六年（610年）姬威墓，以及其他隋墓出土的陶俑来看，数量较大，题材内容也有明显变化。如北朝时期流行的甲士凯马俑不再流行了，代之而起的是成组成队的伎乐舞俑。俑的身躯修长，而面部较之北朝为丰腴，姿态动作的变化也更加多样。其中常见有施釉陶俑，釉色多为淡黄，有的因釉汁流动积厚而呈深赭色，还有间以绿色釉的。这是汉代已经行用的黄、绿釉陶明器的发展，也是盛唐时期流行的釉色斑斓的"唐三彩"的先河。隋代还出现白瓷黑彩俑，其艺术效果不及陶制加彩绘和色釉陶俑自然含蓄，故其后偶有沿用，而不曾广泛流行。

唐朝，是封建社会的鼎盛时期。在经济繁荣社会富庶的基础上，陶俑随葬也获得全盛的发展。按照封建等级制度，随葬明器的数量、规格各不相同。俑明器的数量、尺寸都有明确规定，如《唐六典》称："甄官令掌供琢石陶土之事……凡丧葬，则供其明器之属……三品以上九十事，六品以上六十事，九品以上四十事。当圹当野，视明地轴，诞马偶人（指陶马陶俑），其高各一尺，其余音声队（指伎乐俑群）与童仆之属，威仪服玩，各视生（前）之品秩所有，以瓦木为之，其长率七寸"。而实际上并不以此为限，从考古发掘情况看，初唐时期任左、右武卫大将军的郑仁泰（664 年）墓，仅陶俑一项出土的数量就有466 件之多。而懿德太子李重润（682 ~ 701 年）墓，出土陶俑、陶马多达 850 件。墓中出土的普通甲马，高度都在 33 厘米以上，三彩马高度 72 厘米。章怀太子墓出土的三彩马高度在 75 厘米，三彩文武官俑高达 116 厘米，均超过规定的限度。在制作材料上，固然多数是陶制加彩绘（当即文献中所称的"瓦"），但也有不少是精制的多色釉陶即"三彩"俑，还有瓷俑、石俑，也有少数鎏金铜俑。木俑也不少，但保存下来的不多。陶、瓷、石俑加彩、涂金是常用的装饰加工手段。新疆地区出土的唐俑，还有以绫绢作衣饰的。

这样豪华的丧葬习俗，在当时的朝廷中也每引以为患，《旧唐书》卷四十五载，有的官员在向皇帝上疏中指出："王公百官竟为厚葬，偶人象马，雕饰如生，徒以炫耀路人，本不因心致礼。更相羡慕，破产倾资，风俗流行，下兼士庶。若无禁制，奢侈日增！望诸王公以下，送葬明器，皆依令式，并陈于墓所，不得衢路昇行"。有时还严令限制，如《唐会要》卷三十八载，唐玄宗于开元二十九年（741 年）敕云："古之送终，所尚乎伦，其明器墓田等，令于旧数内递减：三品以上明器，先是九十事，请减至七十事；五品以上，先是七十事，请减至四十事；九品以上，先是四十事，请减至二十事；庶人，先无文，请限十五事。皆以表瓦为之，不得用木及金银铜锡"。从出土情况看，这类规定不过是一纸空文。所以，后来御史台奏请放宽限额，《唐会要》卷三十八载："前令式及制敕，皆务从俭省。减刻过多，遂令人情易逾禁；将求不犯，实在稍宽。臣配量旧仪，创立新制，所有高卑得体，丰约合宜，免令无知之人，更怀不足之意……如有违犯，先罪供造行人贾售之罪，庶其明器，并用瓦木，永无僭差"。唐朝后期，陶俑制作渐趋粗陋，数量、尺寸也随之减缩，但并非朝廷制订的明器使用政策发生了作用，而是由于当时风靡全国的大起义，使统治者地位摇摇欲坠，其生命财产岌岌难保，不遑以此来炫耀了。

唐代陶俑，除少数捏塑外，大都采用模制。在模制基础上，再加工塑制，手、发髻、手持物等，辅以捏塑，衣纹则多是脱模之后刻划的。在陶瓷史上为人称道的"唐三彩"，其实并不限于黄、绿、白三色釉。白釉中泛有不

同程度的黄色；黄釉中有浅黄、赭黄；绿釉中有浅绿、深绿；此外还有蓝色釉，偶尔也出现紫色。"三彩"俑出现并流行于武则天至玄宗时期。"三彩"俑施釉，一般是限于衣饰部分，头面、手足大都露素胎，烧成后，发髻、皮靴、冠戴等，则涂以墨黑，颜面涂以白粉，颧颊晕染淡红，唇点朱标，瞳子、眉毛、髭须，用黑墨点描。彩绘与雕塑相结合的艺术形式，至迟可以从战国的木俑算起，其后经过千余年的发展，到唐代已臻于非常完美的境地。"三彩"俑又是别具一格的创造，唐俑制作者，出色地把陶器工艺上的多色釉成就运用于陶俑上，从而为彩塑艺术开创了一片新天地。他们不是简单地用色釉代替粉质颜料，而是充分理解了色釉用于雕塑和器皿的不同，在这一特定的场合里有它的长处和短处，所以，色釉一般只施于人物形象的衣饰部分，而不用于头面。他们巧妙地利用了三彩釉厚度大和在烧成过程中因流动而形成垂滴、混合、晕开等现象，使着意涂点而成的衣裙帔帛等部位的不同釉色和花纹斑点，呈现出既灿烂夺目又沉着蕴藉，如出于天然，似非人工所能致，有着一般敷彩贴金的雕塑品所不能比拟的特殊艺术效果。

唐代陶俑的主要成就还在于对侍女、乐舞伎、文吏、武士"天王"、魁头、十二辰以及马和骆驼等多种形象的创造。侍女和乐舞伎在唐俑中占有很大数量，多姿多彩，尽态极妍，是唐俑艺术取得卓越成就的一个重要方面。唐代初期的女俑，头盘低髻或耸立高髻，着窄袖长裙，身材苗条，尚保留着隋代女俑的造型特征。到盛唐时期，女俑造型出现"秾丽丰肥之态"。姿势动作，面目神情，各有不同，发髻衣饰也变化多端。仪态温婉端庄，落落大方。西安出土的三彩女立俑和三彩女坐俑，即是这类女俑中的优秀作品。

《新唐书·车服志》载，武则天以来，"以骑代车"。"官人从驾，皆胡冒（帽）乘马，海内效之。至露髻驰骋，而帷帽亦废，有衣男子衣而靴，如奚、契丹之服。"女子骑马的形象，在唐俑中有极为生动的反映和表现。如陕西昭陵

龙朔三年（663年）新城长公主墓、开元六年（718年）越王李贞墓、西安开元十二年（724年）金乡县主墓、西安西郊制药厂唐墓等出土的女骑俑，面目秀丽，神态自然，动作潇洒。其中尤以纵马飞驰的少女形象最为神气。女俑中最为活泼优美的是舞俑。它们的面颊虽也丰腴，而较一般侍女俑为清俊，身段尤为修秀。如陕西长武郭村总章元年（668年）张臣合墓出土的女舞俑，身材苗条，亭亭玉立；陕西礼泉马寨村麟德元年（664年）郑仁泰墓、洛阳孟津西山大足元年（701年）头岑平墓、江苏扬州唐墓等出土的女舞俑，轻拂长袖，婆娑起舞。作者善于抓住舞蹈过程中一些美好的瞬间加以表现，各种舞姿动作都显得轻巧灵活，处于舒缓或迅疾的运动之中，极其生动而饶有意趣，非常动人而耐观赏。说明作者不但掌握了熟练高超的塑造技巧，对各种舞蹈艺术也十分熟悉并具有相当高的欣赏水平。

如果说在女俑的塑造上表达了作者对女性风貌的赞美，那么，在对文吏俑的刻画中，则不同程度的流露出作者的憎恶之情。在部分文吏俑形象上，表现得尤其鲜明强烈。如咸阳底张湾天宝三年（744年）豆卢建墓出土的文吏俑，刻划出了这类人物既恭顺又高傲冷慢的双重性格。西安高楼村天宝七年（748年）吴守忠墓出土的文吏俑，宽衣大袖，肥胖臃肿，表现出一种唯唯诺诺，庸鲁无能的样子。西安王家坟村唐墓出土的一对陶男俑，新疆吐鲁番阿斯塔那张雄夫妇墓出土的"宦官"俑，更是以夸张的手法，"入木三分"地揭示了他们那种奴才般的神态。与以上二者适成对照的是西安十里铺唐墓出土的陶男俑，把人物的那种曲意逢迎的可怜相，活灵活现的表现出来。由此看出，唐代雕塑工匠对生活的观察认识深度，达到了一个前所未有的程度。

武士、天王俑是作为墓主人的护卫而设的。唐代初期的武士俑，还保留着北朝及隋代的一些造型特点，强调作为武士在外形上的表现，身体魁梧、方面额阔、络腮胡子、高鼻大口、浓眉上撩、暴目鼓突、按盾持剑等特征，

威武严厉但不作张牙舞爪、凶横可怖之状。咸阳底张湾贞观十六年（642年）独孤开远墓出土的武士俑即为其例。西安韩森寨乾封二年（667年）段伯阳妻高氏墓出土的武士俑，风度神采与龙门奉先寺、敦煌320窟的天王像颇有相似之处，它们既有威武雄壮的共同性，又有一般武士、天王像上罕见的英俊与和悦。此后，武士俑的形貌大都于佛教造像中的天王像类似。足踏卧兽或小鬼，面目狰狞，力图令人见而生畏。西安羊头镇总章元年（668年）李爽墓、甘肃秦安唐墓等出土的天王俑即属此类。天王形象本是以现实中的武士形象为根据，进行艺术加工、加以神圣化而成的，盛唐时期的天王俑，艺术上达到了高度成熟的阶段。造型极度夸张而又真实自然，面部表情、姿态动作、以致衣角、袖口、腰带、发、冠、肩臂等雕饰，无不和谐一致，共同体现了内在的暴怒与愤恨。史籍上关于盛唐杰出画家吴道子作品的形容："磊落逸势"、"笔迹劲怒"、"落笔雄劲"等充满激情、力量的艺术特色，可以从西安东郊天宝三年（744年）史思礼墓和西安韩森寨天宝四年（745年）雷君妻宋氏墓出土的"天王"俑上想见其仿佛。

比"天王"俑造型更为夸张、构思更为奇谲的镇墓俑，大约就是《唐会要》卷三十八中，唐人所说的"方相魌头"。据《周礼·方相氏》注，方相系古代人们幻想中的一种能够"惊殴疫疠"的怪物。"四目为方相，两目为倛（魌）"。"魌头"乃指鬼面具而言。总之，它是被说成能够逐除恶鬼的一种幻想中的神物。用作镇墓的俑，最早见于战国楚墓出土的木雕"镇墓兽"。形象最明显突出的是头部，圆眼、巨口、长舌，头上有角。北朝时期的镇墓兽，都是一对，躯干四肢为兽形，作蹲踞状；一为人首、大耳，发如火焰飞张；一为兽首，张口露齿，头上有角。隋及初唐虽有种种变体，但大体仍沿此种格式。西安韩森寨乾封二年（667年）墓出土的一对彩绘陶魌头是比较典型的实例。到唐开元、天宝时期，其造型发生了大的变化，综合多种动物的因素而成。头面虽仍为一人一兽，而身躯则近人形，手脚均呈鹰爪状，以猪或怪兽为坐垫，张臂伸腿，头部的角

发，颈肩的长毛，像熊熊的烈焰扶摇而上，在极大程度上体现出强力和运动的美。如西安东郊天宝三年（744年）史思礼墓和西安韩森寨天宝四年（745年）雷君妻宋氏墓出土的两对彩绘陶魁头，都充分的表明作者的出色想象力和惊人的艺术技巧。

唐代"十二辰"的创造也比较别致。各种文献中所载关于明器数量、品种的规定，上从三品以上，下至"工商百姓，诸色人吏"，所用明器中几乎都少不了"十二辰"。"十二辰"本为古人划分时间概念的形象标志，即：鼠、牛、虎、兔、龙、蛇、马、羊、猴、鸡、狗、猪十二种动物。唐代的"十二辰"形象，一般加以人格化，身穿袍服，袖手而立（或跪坐），头面则为动物。这种基本上是人身动物首的简单拼合，并未作明显地夸张变形，但颇为和谐而饶有风趣。身躯姿态服装出于同一模型，除衣纹刻划稍有不同，并无大差别，而与头部联系来看，却神情迥异，似乎姿态动势也随之有了变化。西安开元二十四年（736年）孙承嗣墓出土的一组十二辰俑尤为精彩。牛首俑的憨态，虎首俑的威严，兔首俑的灵敏，龙首俑的严厉，羊首俑不以为然的样子……都显示出各自不同的性格、气质以及风度和身份。

在动物造型中，马的形象塑造可以说是唐代俑塑艺术中取得的一大成就。从久远的古代起马一直是人类非常倚重喜爱的牲畜，它在中华民族的物质文化发展史上，立下了"汗马功劳"。在唐王朝的"创基立业"、抵御外侮的战争中，马也起了不可忽视的作用，所以唐人对马的重视与喜爱尤深。马在唐朝贵族生活中有相当的地位。《历代名画记》卷九载，唐玄宗李隆基"好大马，御厩至四十万（匹）。遂有沛艾（高大）大马，王毛仲为监牧使，燕公张说作《驯牧颂》。天下一统，西域大宛，岁有来献。……调习之，能逸异并至，骨力追风，毛彩照地，不可名状。……时岐、薛、宁、申王厩中，皆有马"。唐代艺术中马的形象身材高大，体态健硕，气势雄伟。细节上小耳大眼，机灵聪敏。通体结构比例、骨肉质感与姿势神态无不彰显

力与美的统一。具有造型写实，刻划细致，技艺精练圆熟等特点。虽然陶俑中的马形象，大都是以仪仗队、狩猎活动、炫耀显贵的声势、哀荣而制作的，但在当时特定历史条件下，它的性质和意义并不局限于这一狭隘的范围。当时社会对于马普遍重视与爱好，并作为重要的审美对象诉之于绘画、雕塑、诗文创作，实与人们高昂的民族自豪感和坚强的民族自信心有密切联系；同时也是这一历史时期社会所共有的健康好尚的艺术体现。多种多样的马塑形象成功创造，充分体现了当时的艺术表现能力和审美认识水平，真实的生活内容、高尚健康的精神情趣，与相应有力的艺术形式达到了高度统一。西安洪庆村长安三年（703年）墓出土的陶马，鞍鞯未卸，而悠闲地啃一啃前腿，为了不使头颈勾得过于吃力，有意识地将左前蹄稍稍提起，生动的刻画了马在休闲状态中的特有神情。同墓出土的两匹三彩马，昂首翘尾，养精蓄锐，表现出一种急切期待出击的神气。西安三桥镇唐墓出土的陶马，似乎是在低头沉思。西安东十里铺唐墓出土的三彩马，昂首嘶鸣，好像是不甘于平静生活而要求扬威疆场的神情，因而对牵马人表示抗争。陕西乾县永泰公主墓出土的一件三彩马，引颈仰面作"笑天"的动态，尤其昂扬神骏。故宫博物院藏各种唐代陶马、三彩马形象，有的前蹄弯屈抬起，有的四蹄伫立，姿态英武，身形矫健。虽然以上诸例，远不能概括唐代马俑的丰富多彩和全部艺术成就，但却可以看出唐代陶俑中马形象的一些艺术特色。

在唐代明器中，骆驼形象与陶马似乎有着同等重要的地位。二者尺寸大体相当，间或还有大于陶马者。骆驼的姿态不及陶马多样，通常有立、卧两种，少数为由卧而起立的状态。其属类都是原产中亚一带的双峰驼。骆驼的形体举止与马大不相同，它性情温顺，行动缓慢，但力大坚韧，长于负重远行，所以受到人们的重视与喜爱。骆驼形象多作引颈昂首、张口长鸣之状，于稳重温厚中显出伟岸高亢的气势，从而呈现出唐代俑塑艺术不同寻常的时代气息。此外，与马和骆驼有密切联系的还有形形色色的人

物形象，有男有女，有老有少，不仅有汉人，还有深目高鼻的西域人，以致黑色人种"昆仑奴"等，它们都是唐代俑塑艺术中不可多得的优秀之作。

五代俑的制作基本沿袭唐代俑的风格。陶俑出土数量不多，主要集中在江苏、福建、四川等地。以江苏南京南唐李昪墓和李璟墓出土的男、女陶俑表现最为出色。男俑提臀扭胯，手舞足蹈；女俑体态端庄，表情自然。人物动作刻划细致，形象塑造尚存盛唐遗韵。但从五代俑整体情况看，由于时代变迁，文化氛围不同，在精神面貌上缺少唐俑的那种健康向上的气质，形象塑造也缺乏内在的活力。

五代以后，曾经在我国古代雕塑发展史上占有重要地位的俑，由于丧葬习俗的变化，用俑随葬的现象已渐稀少，艺术水平也日趋下降。宋、辽、金、元时期的墓葬，发现用俑随葬的已是寥寥无几。而所见为数不多的俑，也主要是宋墓和元墓出土的。这一时期，俑在雕塑领域里，就数量和质量而言，都不占重要地位。

宋代俑的制作材料，多系彩绘瓷或色釉陶塑，其次是青石、白石、寿山石和木雕，还有少数是用铁铸的，一般只限于牛、猪等牲畜形象。人物俑形象的类型不及唐俑多样，但也出现了一些唐俑所没有的类型。除男俑、女俑、文吏俑、武士俑、马夫俑外，还有书生样的文人、抬滑竿者、侧身而卧者，以及四神之类。江西景德镇出土南宋时期的许多捏塑白瓷人物，有多种装扮表情，有的是杂剧或民间杂耍一类的角色。杭州老和山和江苏泰县出土的木俑，标志着宋代木雕艺术的高超水平，刀法洗练准确、不作精细的雕琢，而人物的姿态形貌神情毕现，且充分地展现了材料和制作技术特性的美。石雕俑以河南方城金汤寨绍圣元年（1094年）范氏墓和方城盐店重和二年（1119年）疆氏墓出土的石俑最为丰富，生动具体地反映了当时社会生活的一些侧面。福建地区出土的许多南宋时期寿山石雕俑，可见寿山石雕工艺的历史悠长。四川广汉等地出土的宋代色釉陶俑，在宋俑中有一定的代表性，对以后

盛行的陶塑艺术也有一定的先驱意义。

山西孝义县下吐京村金墓中多有砖雕人物、戏剧演出场面，河南焦作新李封村金墓出土的陶俑，形象丰腴健壮，生动活泼，别具风格。

在山东、陕西、河南等地发现的元代俑，大都是灰黑色的陶质，有男女俑，或侍立，或骑马，或行进。大多数是蒙古族形象，也有"色目"人的形象，民族的生理、服饰、举止特点非常鲜明，颇能表现出游牧民族粗犷、奔放的生活风貌。但马的形象仅具头尾躯肢而已，与汉唐时代的马雕塑相差甚远。

此一时期的随葬品中，也常见有一些小型玩赏性雕塑小品。这类雕塑小品在俑日渐失去活力的情况下，却有着生机勃勃的状态，在雕塑领域中显得特别突出。这类雕塑善于从制作对象的形体上开拓意境，注意把握细节刻画，讲求艺术夸张，以小巧多变显现活力，在继承和创新的基础上追求发展，从客观上充分体现了我国民间艺术传统和风尚习俗。雕塑小品，有的用泥条捏塑，有的用范模印制；有的写实，有的夸张。造型优美，种类繁多。就用材来说，有陶瓷、竹、木、玉石和泥质，形式多样，广受时人喜爱。虽然在一些墓葬中出土这类雕塑小品，但从其风格特征看，显然不同于专门用于随葬的明器，它们应是人们玩赏或有一定实用价值之物，随死者葬入墓中。就是说，雕塑小品相对其他明器来说，其更具有实用艺术的品位。雕塑小品作为艺术品在很大程度上适应和迎合了当时社会中、下层人们生活小摆设的需要，特别能博得儿童的喜爱。

明、清时期，是中国历史上最后两个封建王朝。随着封建制度的衰朽，俑制作也每况愈下，黯然无光，从而结束了它在漫长的封建社会中的发展历程。明代，用俑随葬的大都是王公贵族。在已发掘的明代墓中，虽然用俑随葬的墓为数不多，但每座墓中随葬俑的数量却往往很多。如山东邹县洪武二十二年（1389年）鲁王朱檀墓、贵州遵义正统五年（1440年）"播州土司"杨升墓、江西南城嘉靖三十六年（1557年）益庄王朱厚烨墓以及河北阜城廖

纪墓和河南陕县万历五年（1577年）王韩墓等高官贵族墓，随葬俑少者数十，多者数百。据《明史·礼志》载，开国功臣常遇春下葬时，明太祖朱元璋曾颁赐大量的明器，有乐工、执仪仗、女使、武士、门神等。故所见明代墓葬出土的俑群，有众多的家内奴婢，成行的伎乐人，浩浩荡荡的仪仗队，还有排列在公堂内外的衙役等。此外，并有陶质的厅堂、廊庑、深宅大院、重楼、牌坊，以致桌、椅、床榻、屏风、车、轿等一应器用陈设。甚至还有赌具和各种刑具。诚有"别为天地于其间，拟将富贵随身去"之势。

明代俑，一般尺寸不大，约在30厘米左右，蜀王世子朱悦㷣墓出土的武士俑高至51厘米和84厘米，实属少见。陶俑一般模制而成，头与身体分制，再行安接，其中，先用模子压印出身体，再乘势弯曲手脚和刻划衣纹束带，烧成后进行彩绘。木俑一般是用扁木或圆木雕刻而成，只雕出外形轮廓和刻出衣纹束带，再施彩绘。虽然制作不甚精细，但一般来说，人物形象的姿态动作神情，相当真实生动；各种人物的身份、特征，也颇为鲜明，有些木俑，刀法准确利落，颇有表现力。

用俑随葬的实例，在清朝墓中偶有发现，如广东大埔县湖寮圩清初吴六奇墓，随葬有侍女、庖厨、衙吏等各类陶俑47件。俑多加彩绘，通高19～25厘米。这批陶俑，均为模压成形，再刻画加工，制作精致，风格与明俑近似，但造型多有变化。陕西大荔八鱼村光绪元年（1875年）李天培墓，出土石雕男、女侍立像各一件。男像，梳一长辫垂至背后，身穿长衫马褂，残高112厘米；女像，头梳双髻披发垂肩，上身穿袄下身着裤，帛带绕肩下垂，手持如意，通高96厘米。从石像的功用目的看，应是专为墓主人随葬制作的侍仆形象。清墓随葬俑虽然为数甚少，但其风格、造型基本反映了当时俑的面貌和制作水平。清代以后，俑随葬绝迹。

古代陶俑与明器是故宫博物院雕塑文物收藏的重要内容之一。20世纪50年代以后，故宫博物院通过历次文物征购、馆际交流、接受个人捐献以及没收非法所得等

多种方式，陆续收藏了数以千计的雕塑类文物，包括各种人物、动物、镇墓兽等俑塑形象及各式建筑模型明器。作为古代丧葬明器中的雕塑艺术品，它们的产生与发展、兴盛与衰落，几乎穿越了整个中国古代历史。其中蕴涵的丰富内容，在千百年后的今天，已成为历史的载体，不但极其珍贵，而且有着相当重要的研究价值。每一件俑塑作品，都会聚了历史的人物形象和各类造型，体现着各个时代雕塑艺术的发展水平和艺术成就，值得我们加倍珍惜。

参考资料：

郑振铎编：《中国古明器陶俑图录》，上海出版公司，1955年。

王子云编：《唐代雕塑选集》，朝花美术出版社，1955年。

陈万里编：《陶俑》，中国古典艺术出版社。1957年。

秦廷械编：《中国古代陶塑艺术》，中国古典艺术出版社，1957年。

陕西省文物管理委员会编：《陕西省出土唐俑选集》，文物出版社，1958年。

中国科学院考古研究所编：《新中国的考古收获》，文物出版社，1961年。

人民美术出版社编：《中国古文物》，人民美术出版社，1962年。

外文出版社编：《新中国出土文物》，外文出版社1972年。

中国大百科全书编辑委员会：《中国大百科全书·考古学》，中国大百科全书出版社，1986年。

中国美术全集编辑委员会：《中国美术全集·雕塑编》（1～6卷），文物出版社，1988年。

曹者祉、孙秉根主编：《中国古代俑》，上海文化出版社，1996年。

中国硅酸盐学会编：《中国陶瓷史》，文物出版社，2004年。

《文物》、《考古》、《考古学报》、《考古与文物》、《中原文物》、《华夏考古》、《文博》、《南方文物》等报刊。

1. 新 153583 黑陶彩绘伎乐群俑

<u>战国 / 高 3.5 厘米至 6.8 厘米</u>

此俑群虽然个体都较小，但仍能从形态上看出它们的角色身份。中间着红色百褶裙女俑，身体圆鼓，袖手而立，所表现的似乎是一名歌者的形象。周围舞动双臂，做不同姿态者，应该是舞蹈俑。另外两件跪坐者，上身前倾，表情投入，在它们面前虽然已见不到任何器物，但仍能看出它们似在演奏乐器。

2. 新131422 彩绘木俑

战国 / 高 36.6 厘米

　　俑体以长木条削成，形体简括。面部塑绘结合，秀眉朱唇、鬓发整齐、眉眼修长，给人以高贵典雅之感。木俑削肩袖手，长袍右衽。衣上绘黑红色云纹与小簇花，色彩浓丽，纹饰飘逸，具有浓郁的楚地浪漫风韵。湖南省长沙市仰天湖出土。

3. 故 83263 铜马

<u>战国 / 高 24.5 厘米 长 25 厘米</u>

　　铜马双耳竖立，一副神态机警的样子；双目环睁，目光炯炯有神；鼻孔大张，表现出刚刚剧烈奔跑之后的状态。铜马膘肥雄壮，无鞍无鞯，四腿较短，前腿带有护膝，尾系花结，细部交代清晰，造型生动准确，铸造工艺较高，是战国时期难得的艺术珍品。

4. 新 142201 陶彩绘女俑

<u>西汉 / 高 55 厘米 宽 18 厘米</u>

女俑面庞端庄清秀，头发从中间分梳向两侧，至后面绾系，双手垂拱于胸前，身着交领三重衣，外敷白色陶衣，双履绘饰图案。陕西西安出土。

5. 新 142203 陶女俑

西汉 / 高 53 厘米

　　女俑眉目清秀，鼻梁高直，嘴微闭，头发
中分向后梳绾，发梢处打结。身穿三重右衽衣，
双手上举，衣袖宽大，下呈喇叭形，遮住脚面，
起稳定作用的同时给人舒展之感。

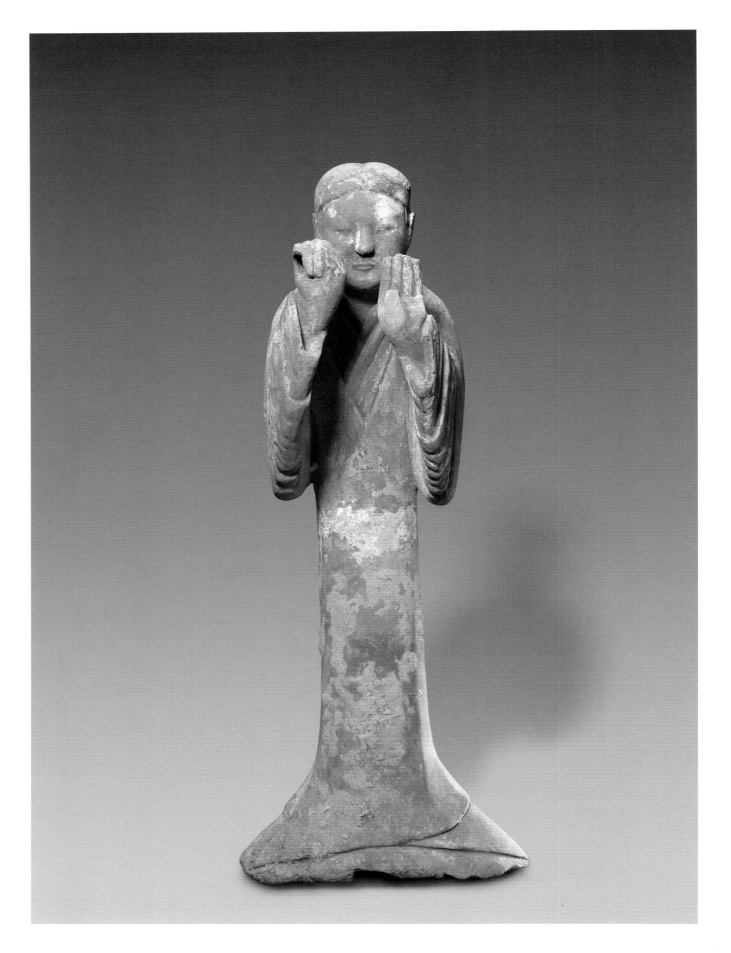

6. 新 140986 红陶彩绘女俑

西汉 / 高 31.5 厘米

女俑着白衣，眉清目秀，眉、眼皆为墨绘，头裹巾，细腰，下穿拖地喇叭状长裙，双手合于腹部。此俑陶质细密，表情温和含蓄，形象新颖别致，特别是喇叭状长裙，简洁中蕴涵生动，飘逸流畅，给人以稳定感，造型饶有趣味。

7. 新 124439 陶马

西汉 / 高 45 厘米　长 42.8 厘米

陶马直立，前足略向前倾，后足稍弓，含蓄待动。双耳竖立，张口鼓鼻，眼睛直视前方，颈上刻长鬃。西汉时期是汉朝同西北少数民族政权对峙的时期，由于战争的原因，对马的需求超过以往任何时候，人们对马的认识也达到空前的高度。

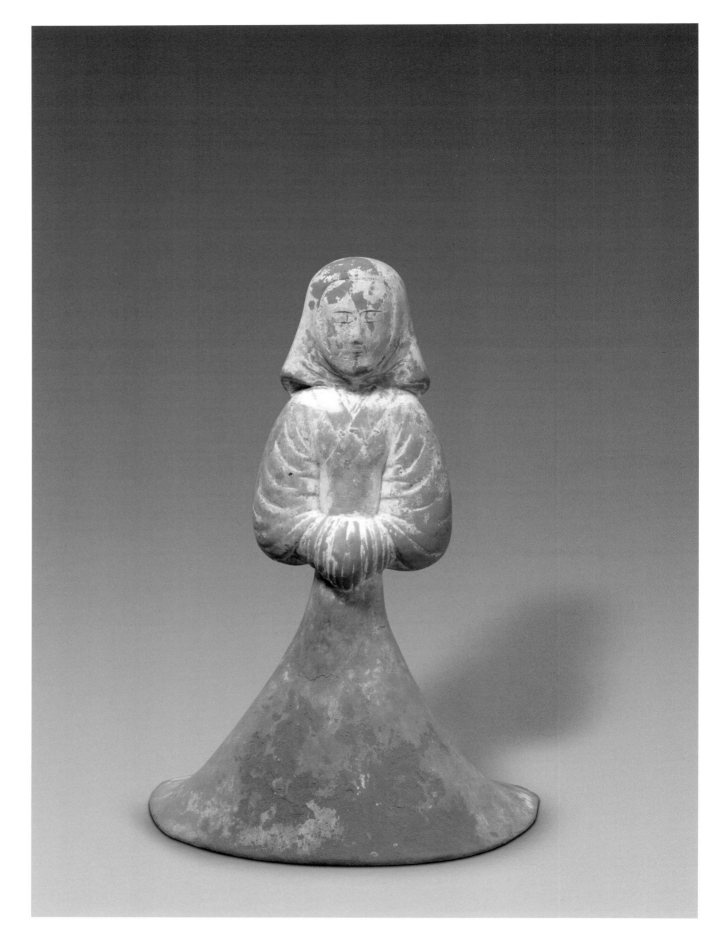

8. 新 142196 陶鸭

西汉／高 17 厘米　长 21.5 厘米

　　陶鸭长宽的嘴上下紧闭，头部成弧线形，
两眼炯炯有神，胸部宽大结实。背部羽毛依
稀可见，尾巴上翘，憨态可掬。

9. 新 142107 陶彩绘舞蹈俑

东汉 / 高 11 厘米

　　俑盘发，长圆形面庞，眉目已经不显清晰。双手上背，手臂齐背部磨平。身穿长裙，下摆被抬起的左腿拉开，露出内着长裤。右脚着地，抬腿出胯，从视觉上给人一种强烈的旋转感。此俑虽是静物，却表现出强烈的动感，艺人的独到匠心可见一斑。

10. 新 143473 陶彩绘舞蹈俑

东汉 / 高 13 厘米

　　俑双臂平伸成一条斜线，组成陶俑的主线条，并与俑颈、腰及裙下摆等斜线平行。俑头后仰，与抬起的右足相呼应，表现出一种旋转的状态。在这里，陶塑艺术家抓住舞蹈者瞬间动作的塑写，在艺术上达到了传神写意的效果。

11. 新 14013 陶彩绘醉饮俑

东汉 / 高 12.4 厘米

  此俑袖口高卷，左手扶膝，右手持酒器
（已残）举至胸前，肩膀一高一低，身体歪斜，
坐姿随便，一副身不由己、不能把持的醉态。
简单的一件陶俑，经过陶塑艺人之手，将生
活体验高度提炼，达到了形态上的惟妙惟肖，
可谓匠心独到。

12. 新 14015 陶彩绘持排箫伎乐坐俑

<u>东汉 / 高 9.7 厘米</u>

　　头裹平上帻，上加纱弁。脸部原有画彩，多已脱落，五官略显模糊。肩部较宽，略上端，且上缘平直，与臂夹角近似于 90 度。胸内含，腰略收，身着宽袖大衣，弧形下摆明显。腰、臀、足部线条清晰。坐俑手持排箫，做吹奏状。

13. 新 105101 陶彩绘俳优俑

<u>东汉 / 高 14.8 厘米</u>

　　头束单髻，大眼内凹，高颧骨，大鼻头，张嘴吐舌。上身裸露，双臂微曲，双手各握一球。左腿下蹲，右腿跪地，圆鼓鼓的大腹垂地。此俑头、身体及双臂均分别制作，可以组装在一起。头下有长方形榫眼，颈部有凹槽，根据凹槽比榫眼明显大出许多的情况判断，俑头能够通过凹槽前后摆动，同时手臂以肩为轴可上下活动，模仿跳弹表演，设计构思堪称一绝。

14. 新 137021 陶彩绘俳优俑

东汉 / 高 23.2 厘米

　　俳优俑头梳红色三花髻，眉毛上挑，大眼圆瞪，高颧骨，嘴角内收，略带笑意。裸体，身体肌肉松弛，乳头与肚脐处塑圆形小眼，双手捧着下坠的大肚子。后腰内收，臀部向后突出，双腿曲立。此俑造型比例明显失衡，形体曲线极尽夸张，正是东汉时期俳优艺人以某种生理缺陷取悦观众的生活再现。

15. 新 131502 陶持锸俑

<u>东汉 / 高 48 厘米 宽 19 厘米</u>

　　陶俑头戴圆形笠帽，头发在脑后向上绾起。双眼微合，面部略带笑意。上身内穿圆领衣，外为两层右衽衣，外衣有缘，袖口挽起，腰中系带，下穿裤，足穿布履。腰中垂挂环鼻刀，左手持箕状物，右手荷长柄锸，锸立于双足之间。对于此俑，有的称为工人俑，有的称为执箕铲俑，而其用途，则未见深入论述，我们推测可能与治水有关。这可以从其他出土文物得到证实。四川都江堰与芦山出土的持锸石人，皆为东汉时期作品，其中都江堰所出者，与李冰像出土地相距只有数十米，李冰像刻铭提及有镇水三石人，那么都江堰持锸石人，应为三石人之一。芦山石人头戴笠帽，衣饰与此件陶俑较为接近。四川彭山崖墓所出此类陶俑，共 11 件，较为完好的 6 件，此为其中之一。这些石像与陶俑共同的特征便是手中都持锸。锸在古代除指缝补衣服的针以外，也作"臿"、"插"。《汉书·沟洫志》载："举臿为云，决渠为雨"。注云："臿，鍫也，所以开渠者也。"可知锸是开渠通水的工具。四川被誉为天府之国，成都平原富饶甲于天下，多依赖于水利。秦时蜀郡太守李冰治理都江堰，福泽蜀地，深受人民爱戴。此类治水人物形象的出现，或是蜀地人民重视水利的一种反映。四川彭山出土。

16．新 131503 陶提水女俑

<u>东汉 / 高 38.5 厘米　宽 15.5 厘米</u>

　　女俑头系巾，修眉细目，面带微笑。身穿右衽衣，腰系带，双袖上挽，两手各提一水桶。这类提水俑表现了家庭庖厨工作的场景。东汉后期，陶俑制作的中心移至巴蜀地区。巴蜀陶俑注重面部表情的刻画，以表达神韵为最高的艺术追求。四川彭山出土。

17. 新 131506 陶哺乳俑

<u>东汉 / 高 19.3 厘米 宽 14 厘米</u>

　　头梳髻，身穿广袖长衣。左手抱褓中婴儿，右手托乳以帮助婴儿吮食。面庞虽已模糊，但仍能看到慈祥和蔼的神态，富有生活情趣。四川彭山出土。

18. 新 109122 陶听琴俑

<u>东汉 / 高 53 厘米</u>

　　东汉中晚期，陶俑制造中心由西安、洛阳等地转向四川。此时的四川，相对其他地区社会安定，经济富足。生活在这一环境中的人们，更注重现实享乐，听琴女俑便是当时社会风貌的真实反映。此听琴女俑，穿交领右衽衣，内外两层，衣袖博大，腰中系带。双腿跪坐，五官紧凑，面呈笑意，正专心致志欣赏音乐。听到会心处，情不自禁以手扶耳。弦外之音，令人有绕梁之想。俑出自四川彭山，具有典型的川俑特征。

19. 新 124440 陶绿釉胡人灯俑

<u>东汉 / 高 28 厘米 宽 11.3 厘米</u>

　　头戴对缝尖顶胡帽，上顶高筒灯，红陶外施绿釉。主尊双目深凹，鼻子高大，少数民族相貌明显。灯筒上刻有弦纹。值得注意的是，此俑身穿右衽袍服，单腿跪坐，怀中有一比例明显缩小的成年人，身上同样穿着右衽袍服，握拳上举，手腕被主尊的大手牢牢握住。这类灯俑主要集中出土于河南三门峡灵宝地区，主尊怀中小人有1人、2人、9人等几种，也有不抱人的，但以这类俑最为常见。

20. 新 144595 陶绿釉胡人灯俑

<u>东汉 / 高 23.3 厘米 宽 13.8 厘米</u>

　　红陶外施绿釉。主尊双目深凹，鼻子高
大，少数民族相貌明显，头戴中间对缝尖顶胡
帽。左手揽灯柱，灯柱上面应该还有超过俑
头的高大灯碗。怀中有一比例较小的成年人，
身穿右衽袍服，一手握拳上举。

21. 新 85457 陶绿釉胡人灯俑

<u>东汉 / 高 22.2 厘米　宽 12.5 厘米</u>

　　红陶外施绿釉。双目深凹，鼻子高大，少数民族相貌明显。头戴胡帽，头顶筒形灯，穿右衽长袍，双腿跪坐，双手相交于胸前。

22. 新 85449 陶绿釉狗

<u>东汉 / 高 29.5 厘米</u>

　　犬头大而身子略短，两耳弯曲向前，眼睛直视前方，张嘴摆尾，神态喜人。四肢短小，矫健有力，显示出一种力的美感。

23. 新142249 陶狗

<u>东汉 / 高 16 厘米　长 30 厘米</u>

　　狗呈卧姿，头侧向一方，双耳竖立，张口
露出牙齿，双睛圆睁，尾巴呈扇形，足向前伸，
悠闲之中保持着警觉。

24. 新 142210 灰陶男俑

西晋 / 高 31 厘米

　　陶俑发髻上梳，呈螺旋状。头占身体的比例偏大，五官形象塑造很突出，一双微睁大眼，眼角上翘，颧骨突出，大尖鼻头，大嘴巴，颏下蓄须。右手后举，左手前抬，鼓腹，屈腿，脚分前后，一副憨态笨拙的造型。

25. 新 142211 陶男俑

西晋 / 高 22 厘米　宽 8 厘米

　　陶俑头戴平顶帽，头发上绾，双目圆睁，张口，穿右衽衣，左手持圆状物，右手持锤，双腿直立。为分模合塑，身体两侧有模塑痕迹。体腔内空，双腿仅表现两侧，这是西晋陶俑一种特有的表现形式。

26. 新 142262 陶彩绘骑马男俑

<u>北魏 / 高 23 厘米　长 21.4 厘米</u>

　　陶俑头戴风帽，身着曲领长袍，一手抱圆形扁鼓，一手持槌作击鼓状。全身施红彩，四足站立于方形陶板上。这种形象表现的应是鼓吹仪仗俑。魏晋南北朝时期的一般官员都可以得到鼓吹仪仗，墓室内陪葬的此类陶俑也相对较多。

27. 新 142305 陶彩绘男俑

北魏／高 25 厘米　宽 5.6 厘米

　　陶俑头戴小冠，面椭圆，眉目清秀，略呈笑意。颈细长，内穿长袍大衣，外穿裲裆，腰系带，给人以秀骨清像之感。俑虽出自北方，却带有明显的南朝审美倾向，从中可以看出南方文化对北方文化的影响。

28. 新 142306 陶彩绘武士俑

<u>北朝 / 高 18 厘米　宽 5.5 厘米</u>

　　陶俑粗眉大眼，眼睛内凹，尖鼻，阔口，大耳。内穿裲裆，外披风衣，下有缚腿。双手紧握，拳心中空，可能原来握有武器，似为仪仗之象征。此类陶俑多为模制，以满足丧葬需求，考古发现较多。

29. 新 129246 陶彩绘武士俑

北齐 / 高 29.5 厘米　宽 12.5 厘米

　　武士俑戴头盔，四方面庞，怒目圆睁，张口作叱咤状。一手上举，一手贴身扶盾牌。人物塑造比例稍显短粗，但更显魁梧彪悍。

30. 新 142253 陶彩绘骆驼

<u>北魏 / 高 14 厘米　长 27 厘米</u>

骆驼呈跪姿，两峰间有架子，架子两侧挂有丝织类的物品。十六国至北魏早期墓葬内便有骆驼出土，只不过那时骆驼的制作还显得粗糙，比例也不合理。北魏后期，伴随着中原同西域经济、文化交流的日益频繁，人们对骆驼的认识更加全面，骆驼制造的数量和质量都有了长足的进展。如洛阳染华墓出土的陶骆驼，前腿跪卧，后腿直立，驼架上背负鞍垫、水壶等物，造型生动逼真。此件骆驼为北魏后期作品，可能出土于洛阳一带。

31. 新 142265 陶彩绘马

<u>北朝 / 高 20.9 厘米　长 22 厘米</u>

陶马四足直立，马头瘦长，套笼套，颈部系双带，胸前有花状饰物。鞍鞴处饰障泥，障泥镂刻有精美图案。北朝时期，由于北方战争频繁，马匹的需求量大，对其重视程度高。马的造型在沿袭汉朝的基础上有了新的变化。马头瘦小而长，前部略尖，更注重对马鞍及障泥等的装饰。此马设计巧妙，动感强烈，为表现这一时期马的典型代表。

32. 新142271 陶母子狗

北朝 / 高9厘米 长17厘米

母狗蹲卧，双耳下垂，眼睛圆睁，嘴巴上
翘。小狗前足扬起，头向上仰，抓扶母狗颈部，
母狗则用前足抚摸小狗尾部。母狗的亲情，
小狗的可爱，折射出当时人对动物的喜爱。

33. 新142436 陶黄釉彩绘牛

隋 / 高19厘米 长25厘米

牛昂首，双睛圆睁，圆鼻孔，口微张，双
角向上竖起，耳朵向后。四肢粗壮有力，鼓
腹，尾巴下垂，头与尾部饰有彩绘笼套及花饰。
从其形态分析，可能为驾车之牛。该牛整体
塑造简洁生动，准确地表现了牛憨厚质朴的
性格，在强调写实的同时也注意写意的刻画，
可谓形神兼备。

34. 新142688 陶酱黄釉牛车

隋 / 高41.5厘米 长53厘米

牛车由底座、车轮、车篷、牛四部分单
独制成后粘接而成。牛四足直立，昂首前行。
牛车以酱黄釉为主基调，车身塑造写实，给人
真切之感。魏晋南北朝至唐初，陪葬明器中
既有马，也有车，前者多是为男性墓主人提供
的，后者则是为女性墓主人准备的。为女性
墓主人提供牛车，意在行驶稳健，无颠簸劳顿
之感。此外，魏晋时期文人士大夫以牛车为
清玄高远的标志，乘坐牛车遂为时尚。墓室
中牛车的大量出土，既是墓主人出行的生活
写照，也是社会思潮的具体物化。

35. 新142356 陶彩绘女舞俑

唐 / 高 21 厘米 宽 11.5 厘米

　　女舞俑上穿翻领半袖衫，下着长裙，束腰，头微侧。两臂一上举，一下垂。双腿一侧伸，一屈曲。腰肢轻扭，翩翩起舞。从服饰与舞姿看，属于汉族传统舞蹈范畴的软舞。唐代舞蹈与音乐结合紧密，特别是中国西北少数民族地区及中亚、西亚地区，乐舞深受人们的欢迎，成为时尚，不仅在节日庆典上要有歌舞表演，甚至外出郊游也要带上伎乐。相应的，这种具有西北及域外风情的乐舞俑也占据着陶俑制作的主流。此舞俑的出现说明，在高水平的乐舞表演中，软舞仍占有一定的位置。从雕塑技法与风格上分析，它与洛阳孟津岑氏墓出土俑接近，时间可能在高宗至武则天统治时期，出土地点应在洛阳邙山一带。

36. 新 142357 陶彩绘女舞俑

<u>唐 / 高 21.5 厘米 宽 11 厘米</u>

　　女舞俑上穿翻领半袖衫，下着长裙，束腰，头微侧。两臂一上举，一下垂。双腿一侧伸，一屈曲。腰肢轻扭，翩翩起舞。按唐朝典章规定，五品官员可有女乐三人，三品以上官员可有女乐一部，因功勋卓著还可以得到皇帝的特赐。如李林甫等都曾获得特赐。有些官员还僭越使用与自己身份不符的女乐。此女舞俑当是达官贵人现实生活的生动写照。

37. 新 142342 陶彩绘持钹女俑

<u>唐 / 高 20.4 厘米 宽 9 厘米</u>

　　女俑梳双螺髻，内穿窄袖襦衫，外罩半臂。跽坐，双手持钹，作打击表演。此女俑穿襦衣长裙，半臂之上绘彩，很可能表现的就是产自西南地区的锦半臂。钹，也称"铜钹"、"铜盘"，打击乐器，圆形，中部凸起，似半球状，其径约乐器的一半。两只合为一副，相互敲击发出声响。铜钹在魏晋南北朝时期由西域传入中原，隋唐时期开始流行。

38. 新 142343 陶彩绘持腰鼓女俑

唐／高 20.5 厘米　宽 10.5 厘米

　　陶俑头梳双螺髻，内穿窄袖襦衫，外罩半臂，下着长裙。跽坐，双手持圆形腰鼓，腰鼓两头略粗，中间稍细。此女俑神情专注，似已沉浸在精彩的表演之中。腰鼓在唐朝主要流行于西凉、龟兹、疏勒、高丽、高昌诸乐中，为当时常见的乐器之一，演奏时挂在腰间。因演奏方式不同分正鼓与和鼓两种，以杖击打的为正鼓，声音高亢洪亮；以两手拍击的称和鼓，声音婉转低回。

39．新 142368 陶彩绘持笙女俑

唐／高 35 厘米 宽 8 厘米

  陶俑梳双螺髻，内穿襦衫，外披帔帛，下穿拖地长裙。站立，双手持笙演奏。笙为簧管乐器，由簧片、笙管、斗子三部分组成。簧片以竹、铜为主。笙管长短不一，上端开音窗，下端开按孔，下端嵌接木质笙角以装簧片，并插入斗子内。斗子用匏、木或铜制成，连有吹口，吹口有圆形、方形等多种形制。簧管自 13 根至 19 根不等。演奏时手按指孔，吹吸振动簧片而发音。唐玄宗时，根据音乐演奏的特点，将乐队划分为坐部伎与立部伎两大类。坐部伎一般在室内演奏，人数少，技艺高。立部伎人数多，技艺稍逊一筹，一般用于大型歌舞表演。白居易《立部伎》："太常部伎有等级，堂上者坐堂下立。堂上坐部笙歌清，堂下立部鼓笛鸣。笙歌一声众侧耳，鼓笛万曲无人听。立部贱，坐部贵，坐部退为立部伎，击鼓吹笙和杂戏 。"由此可见坐部伎与立部伎在演奏时的区别。

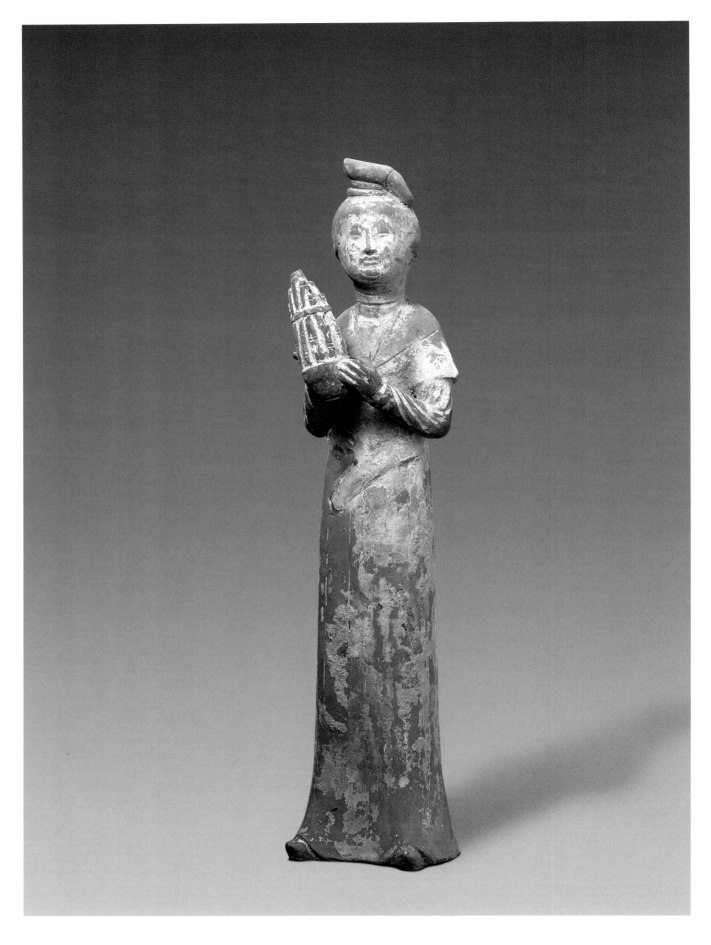

40. 新142350 陶彩绘持排箫女俑

唐／高34厘米　宽7.8厘米

　　女俑头梳螺髻，两鬓抱面，眉清目秀，闲和典雅。上穿窄袖襦衣，下着长裙。站立，双手持排箫作演奏状。排箫，管乐器。由长短不同的竹管编排而成，10管至20余管不等，管底有封和不封两种。既可用于家庭宴乐表演，也可用于鼓吹仪仗中。

41. 新 142347 陶彩绘持琵琶女俑

唐 / 高 34 厘米　宽 7.8 厘米

　　陶俑梳双螺髻，内穿襦衫，外披帔帛，下穿及地长裙，手持曲项琵琶演奏。琵琶，也称批把，弦乐器。汉刘熙《释名·释乐器》记载："批把本出于胡中，马上所鼓也。推手前曰'批'，引手却曰'把'，象其鼓时，因以为名也。"诗人岑参"凉州七里十万家，胡人半解弹琵琶"之句，生动地描写出西部少数民族对琵琶的喜爱，由此也可见少数民族文化对中原文化影响的深刻与广泛。

42. 新 142344 陶彩绘伎乐女俑

<u>唐 / 高 20.5 厘米 宽 11.7 厘米</u>

　　陶俑头梳双螺髻，内穿窄袖襦衫，外罩半臂，下着长裙，跽坐。手中所持乐器已失，从演奏姿态分析应是琵琶。

43. 新 55795 陶彩绘女俑

<u>唐 / 高 30.5 厘米 宽 8.5 厘米</u>

　　女俑头戴高冠，前面略折起，呈三角状，上部高起，颇似僧人的喇叭帽。冠下有巾，垂至肩部，其造型很可能源自异域。女俑双目微合，直鼻，小口。上身穿窄袖对襟短襦衫，下为竖条纹长裙，裙腰及胸，向外翻折，双手交于胸下。此作品人物五官精致，气质恬静。

44. 新 110572 陶彩绘女俑

唐／高 44 厘米 宽 14 厘米

　　女俑头梳抛家髻，面涂红粉，蚕眉细目，小口施朱，五官相对集中于面庞中央，略显紧凑。身着长裙，双手拢袖于胸前，大腹便便，似在缓步行走。唐玄宗开元、天宝年间，社会上逐渐形成以肥胖为美的时尚，杨贵妃受宠于李隆基，更将此风尚推向极致。女俑塑造简洁明快，形神毕现，为盛唐时期审美倾向的典型反映。

45. 新 110573 陶彩绘女俑

唐天宝四年（745年）/ 高 64 厘米　宽 21.5
厘米

　　女俑头发抱面，发顶梳成花形。面庞圆
润，鼻、眼、口较小。内着襦衫，外穿长裙，
直立于方板之上。女俑体态丰腴，衣饰的刻
划流畅飘逸。西安东郊韩森寨雷府君宋氏墓
出土。

46. 新 110575 陶彩绘女俑

<u>唐天宝四年（745 年）/ 高 22.5 厘米</u> 宽 6.5
厘米

　　女俑施彩，头梳高髻，发饰染黑色。上身
穿襦衫，下着长裙，双手托一长方形盒，似为
侍者。据出土墓志记载，墓主人宋氏所嫁的
"雷府君"是一位太监。该墓出土了不少女侍
俑，从中可以判断"雷府君"是有相当地位的，
宋氏是按"雷府君"的品秩安葬的。西安东
郊韩森寨雷府君宋氏墓出土。

47. 新 131504 陶黄釉彩绘男俑

<u>唐 / 高 81.5 厘米　宽 25 厘米</u>

　　男俑头戴皂冠。上身穿博袖大衣，下着裳。胸前饰裆，双手相交于胸前。衣服及裆绘有图案纹饰，袖口与领口纹饰尤其精美。

48. 新 131505 陶黄釉彩绘男俑

<u>唐 / 高 78 厘米　宽 23.5 厘米</u>

　　男俑头戴冠。上身穿右衽博袖大衣，下着裳，双手相交于胸前。袖口与领口绘有精美图案纹饰。此俑陶质细腻，烧造温度较高，为唐俑中的上乘作品。

49. 新 154168 陶彩绘天王俑

<u>唐 / 高 62.5 厘米　宽 21.5 厘米</u>

　　天王俑头戴冠，冠上鸟之双翼展开，尾翅翘起，护耳外翘。天王面部上窄下宽，眉紧蹙，双睛圆睁，尖鼻阔口。身穿明光甲，龙首护膊。双腿踩踏小鬼。小鬼眼睛圆睁，作挣扎状。天王身躯略呈"S"形。此天王俑借取少数民族面貌夸张而成。所用陶质细密，雕刻精美，是盛唐时期的典型作品。

50. 新 143451 陶彩绘天王俑

<u>唐 / 高 66 厘米　宽 22.5 厘米</u>

　　天王俑头戴冠，冠上一鸟，双翼展开，尾翅翘起。冠前额作云头状，护耳外翘。面部上窄下宽，眉紧蹙，双睛圆睁，尖鼻阔口。身穿明光甲，龙首护膊。双腿一抬起，踩踏小鬼头部；一直立，踏于小鬼腹部。天王身躯略呈"S"形，通体原有彩绘，现大部分脱落。

51. 新 140523 陶彩绘天王俑

唐／高 62 厘米　宽 29 厘米

　　天王俑头戴冠，冠上鸟之双翼展开，尾翅翘起，护耳外翘。面部上宽下窄，双眉紧蹙，双睛圆睁，尖鼻阔口。身穿明光甲，龙首护膊。左腿直立，右腿屈曲，踩踏小鬼眼睛圆睁，作挣扎状。天王身躯略呈"S"形，通体彩绘，以墨色为主，间施浅红。底为山形座。

52. 新 55774 陶彩绘天王俑

唐 / 高 54 厘米　宽 20.5 厘米

　　天王俑头戴冠，冠上鸟头已失，鸟翼展
开，尾翅翘起。天王面部上宽下窄，双眉紧蹙，
双睛圆睁，尖鼻阔口。身穿明光甲，龙首护膊。
身躯略呈"S"形，左腿直立，右腿抬起，踩
踏小鬼，小鬼身躯卷曲，下为山形座。天王俑
眉、眼、胡须、护耳、护膊等处墨绘。

　　镇墓神兽是古人创造的驱邪镇恶之神，
出现在春秋战国时期。一般为怪兽的形象，
其材质有木、漆、铜等多种。汉代的镇墓兽，
多出现在墓室画像石上。陶制镇墓神兽，从
十六国、西晋开始，广泛用于墓葬中。最初
多为兽面兽身，后又出现人面兽身。隋唐时期，
随着社会经济的发展，厚葬之风盛行，镇墓神
兽的数量增多，种类扩大，天王俑应时而生，
其一般摆置在墓室入口处，起避邪镇妖作用。

53．新 180260 三彩女俑

唐／高 51 厘米　宽 16 厘米

　　女俑头戴鸟状冠，五官清秀，眉、眼墨绘。上穿短襦，内衬窄袖衫，下着长裙，足登云履。端坐于筌蹄上，手中持一小鸟。由唐代壁画、石刻线画、陶俑等资料分析，这类陶俑身份特殊，应是墓室中的女主人，其形象很可能是按真容塑造的。

54. 新142596 三彩胡人俑

唐／高61厘米 宽21厘米

　　此俑头戴黑色幞头，尖鼻深目，双睛圆睁，唇施朱，留上翘八字胡，鬓及颔下有长髯。双手握拳，身穿翻领右衽衣，腰系带，足穿靴，直立在方板上。此俑以施黄釉为主，仅在翻领处略见绿色。其形象应为文献记载中的"胡人"。此类形象在唐俑中屡见不鲜，形态各有特色。此俑较注重对人物内心世界的刻画，神情毕现。

55．新 59648 三彩胡人俑

<u>唐 / 高 59 厘米　宽 20.3 厘米</u>

　　此俑又称牵驼俑，为西域少数民族形象。深目高鼻，双目炯炯有神，颧骨突出，一副络腮大胡须。头戴幞头，身穿翻领窄袖绿色长袍，腰系带，足登靴，挺身站立于四方托板上。双臂抬起曲置于胸腹间，双手握拳中空，作牵缰绳状。此俑体魄强健，表现出长途跋涉、历经风霜的自然神态。

56. 新 142597 三彩胡人俑

<u>唐 / 高 70 厘米 宽 34.3 厘米</u>

俑头戴幞头，高鼻深目，满脸胡须。身穿翻领衣，腰系带，足登高靴，双手作握缰绳姿势，似在牵驼马。唐墓中的此类人俑很多与牵驼有关。杜甫《寓目》诗有："羌女轻烽燧，胡儿制骆驼。"正是对少数民族擅长驯养骆驼这一实际生活的反映。

57．新 143433 三彩文吏俑

唐／高 102.2 厘米　宽 25 厘米

　　文吏俑眉毛、眼睛、胡须皆墨绘。上穿
宽袖衣，下着裳，外穿裲裆，足登如意头云履。
双手交握，中有长方形孔，推测为插笏板之用。
足下为台座。裲裆，也称"两当"，其一当胸，
其一当背，隋唐时期武士多穿带甲之裲裆，以
为防御身体之用，文吏之裲裆多不带甲。

58. 新 143432 三彩武士俑

<u>唐 / 高 102.5 厘米　宽 28 厘米</u>

　　武士俑头戴鹖冠、眉毛、眼睛、胡须皆墨绘。上穿宽袖衣，下着裳，外穿裲裆。足登圆鞋，双手交握，中有长方形孔。足下为台座。武士俑色彩亮丽，特别是裲裆部分，多种颜色浸润交融，鲜艳夺目。

59. 新 144559 三彩天王俑

<u>唐 / 高 97 厘米　宽 40 厘米</u>

　　天王俑头戴兜鍪，护耳上翻，顶部有一
展翅欲飞之鸟。天王浓眉大眼，眉毛、眼睛、
胡须墨绘。一手叉腰，一手握拳上扬。身穿
明光甲，龙首护膊，腹部有护甲。腰系带，腰
下垂膝裙，鹖尾。下缚吊腿，右腿直立，左腿
微曲，踏在卧牛之上，卧牛下为山形座。通体
以绿、褐、白三色为主，釉色鲜艳明亮。此
俑与长安三年（703 年）元氏墓出土的天王
俑接近，应是这一时期的作品。

60．新 109963 三彩天王俑
<u>唐／高 118 厘米 宽 50 厘米</u>

天王俑头顶有一展翅欲飞之鸟。双眉紧蹙，双晴圆睁，张嘴。一手叉腰，一手握拳上扬。身穿明光甲，龙首护膊，腹部有护甲。腰中系带，腰下垂膝裙，鹘尾。下缚吊腿，足踏卧牛之上，卧牛下为山形座。通体以绿、褐、白三色为主，釉色鲜艳明亮。

61. 新 143907 三彩骆驼

_唐／高 86 厘米　宽 61 厘米_

　　骆驼双峰一左倾，一右倾。昂首，驼身驮架兽头衔之囊袋，囊袋两侧挂有丝束、水壶、扁平壶、水囊等物。三彩骆驼以褐色釉为主，间施绿、白、黄诸色，深浅变化不同。从造型与装饰手法分析，可能为盛唐开元、天宝年间洛阳地区作品。

62. 新 143908 三彩骆驼

_唐／高 80 厘米　长 69 厘米_

　　骆驼头、颈、双峰及鞯部施釉，双峰、头、颈部为褐色，鞯则绿、褐相间，最外缘似流苏状饰物，其上为一串联珠纹，内为菱纹。身及四足素面。

63. 新 144562 三彩马

唐 / 高 76.5 厘米　长 88 厘米

　　陶马通体施白、绿、赭三色釉。身体健
壮,造型准确,比例匀称。两耳上耸,双目圆睁,
凝视下方、张口、头略左偏、戴络头。身披攀
胸和鞦带、上挂杏叶饰物、尾系花结、显得华
丽异常、绚丽斑斓。马背跨鞍、外包鞍袱、下
衬雕花垫和障泥。四腿挺拔有力、直立于托
板上、表现出马伫立时宁静的神态。

64. 新 144563 三彩马

唐 / 高 76 厘米　长 86 厘米

　　马首微倾、戴辔头。双耳竖立、眼睛圆睁、
张口、嘴角衔镳、马鬃短齐、颈左后部有一绺
下垂之马鬃、前有攀胸、后有绿色鞦秋、鞍鞯
上铺绿色绒毯类鞍袱。鞍袱又称鞍帕、覆在
马鞍上防尘污。杜甫《骢马行》:"银鞍却覆
香罗帕"即指此。马以白、绿、褐色为主基调、
釉色明亮、躯体丰肥适度、骨肉匀停、为标准
的良马造型。

65. 新 176003 三彩马

唐 / 高 72 厘米　长 79 厘米

　　马四足直立，头戴笼套，马鬃短齐，颈后部有一长绺。头、胸前、股后革带上悬挂饰物，饰物外为圆形绿叶，内有一似青蛙的动物。扎尾上翘，底板印刻鸳鸯图案。全身以白色为主，马鞍及饰物施绿色。该马英气勃发，大有奔腾万里之势。

<u>唐 / 高 47 厘米 长 47 厘米</u>

马首略低，偏向一侧，戴辔头，额前饰杏
叶状物。短鬃，前有攀胸，后有绿色鞦秋，配
有马镫。鞍鞯色彩丰富，鲜艳夺目。

67. 新 53804 灰陶彩绘男优伶俑

<u>南唐升元七年（943 年）／高 44.5 厘米</u>

　　俑头戴幞头，身着圆领袍。腰束带，袍左右开衩，双手缩于袖中。曲腿扭腰作表演状。其身份应是宫廷中提供娱乐服务的优伶。

　　南唐位处江南，物华天宝，人杰地灵。其兼袭盛唐遗韵，广罗艺文英才，故歌舞称誉当时，优伶充斥宫中。此优伶俑便是当时宫廷生活的真实写照。1950 年江苏江宁祖堂山李昪钦陵出土。

68．新 53805 灰陶彩绘女优伶俑

<u>南唐升元七年（943 年）／高 49 厘米</u>

　　女俑高髻，内着抹胸，外穿对襟大衣。衣外加云肩、华袂，腰系丝带。长袖下垂，下裳底部微露上翘之鞋头。从其华丽的服装，雍容的气质分析，女俑的地位相当尊贵。在塑造手法上，它继承了唐朝雕塑的优秀传统，如敷粉、施朱、面庞圆润等，依稀可见唐朝风韵。其不仅是五代十国时期雕塑的珍贵遗存，也为我们研究南唐宫廷生活提供了形象的资料。1950 年江苏江宁祖堂山李昪钦陵出土。

69．新 53806 陶彩绘女俑

南唐升元七年（943 年）/ 高 46.3 厘米　宽 16.8 厘米

　　女俑高髻圆脸，双手置于胸前，内着抹胸。两腿弯曲，腰肢扭动似在舞蹈。1950 年江苏江宁祖堂山李昇钦陵出土。

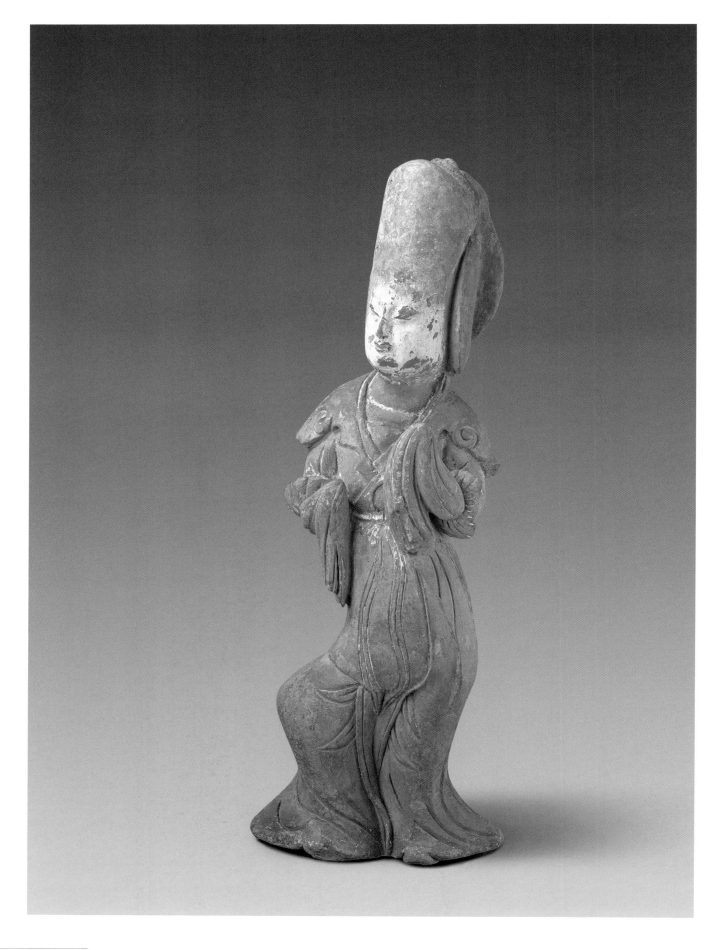

70. 新 142339 陶彩绘十二生肖猴俑

<u>五代 / 高 21.5 厘米　宽 12 厘米</u>

　　俑头戴冠，冠顶塑一猴头，代表生肖。猴头部浅刻三道纹，圆眼、尖嘴，双耳系泥条捏制而成，显得很生动。俑双眼细长下视，高鼻梁、双唇微张，修剪整齐的胡须排布在脸下方。双手交拢，穿长袖掩襟衫，衣褶自然流畅，长衫盖住双腿，跪坐在长方形泥托上。

71. 新 142336 红陶绿釉文官俑

<u>北宋 / 高 17.5 厘米</u>

俑身通体施绿釉，坐姿。头戴皮弁冠，长脸形，眼外角上翘，目视下方，神态平和。身穿圆领宽袖长袍，腰系长带。双手抱拳放于胸前，上有长方形孔，原应握有笏板，现已失。

20 世纪 50 年代陕西省兴平县西郊发掘的一处古墓，出土陶俑 15 件，中有 12 件与此件陶俑样式相同。墓葬的年代从出土的淳化通宝、天禧通宝推断，其年代应为北宋时期。

72. 新 93115 三彩武士俑

<u>南宋 / 高 47 厘米</u>

　　武士俑通体红陶胎、半施绿、酱、黄三色釉，胎釉结合苏松，多剥釉。头戴盔，酱色脸庞，双眼外角上翘、鹰勾鼻、神态恐怖。身穿绿袍，外着鱼鳞形铠甲和护腿。双手相握中空，原应插有器物，现已失。双腿叉开，中间镂空。足蹬酱色长筒靴，立于筒形座上。

　　两宋时期中原地区制作陶俑的风气日衰，而四川地区却较为特殊，在成都地区南宋火葬坑墓中出土了大量陶俑。陶俑一般为十几厘米高，题材多与升仙驱鬼有关，可能与当地盛行道教活动不无关联。这件三彩武士俑比陶俑高出许多，在墓中出现是作为镇墓使用的。四川地区出土。

73. 新 201750 三彩匍匐女俑

南宋 / 高 9.8 厘米　长 10 厘米

　　女俑面施黄釉，头扬起，双目平视，神态平和。披衫着绿釉，腰间束带，四肢跪伏匍匐于地。南宋时期四川成都地区建造砖室火葬墓的习俗非常盛行，墓室经常出土这类陶俑。结合墓室中出土的其他陶俑组合，推测其为西王母身边的奴婢，象征迎接墓主人升天之意。

74. 新 201751 三彩卧狗

<u>南宋／高9厘米　长13厘米</u>

　　狗俯卧状，头微侧，双耳前拢。造型虽简约，但不失狗的神态，可见制作工匠对表现对象的深刻把握。

75. 新 201752 三彩鸡

南宋 / 高 16 厘米　长 11.3 厘米

　　鸡昂首挺胸，神态高傲。鸡冠、喙、眼睛都刻画得很清晰。双翅收拢贴于身体两侧，羽毛明晰。身体中空，圆形圈足。

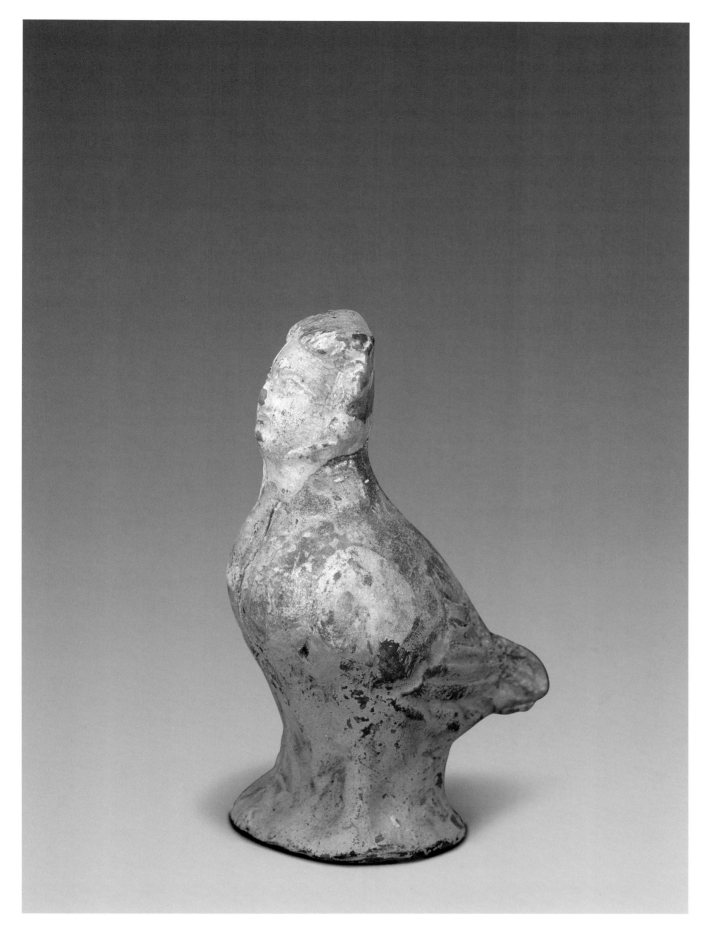

76. 新 201753 三彩禽身人面俑

<u>南宋 / 高 15.1 厘米 长 10.2 厘米</u>

　　人面施黄釉，身体表现为飞禽状，刻画羽翼，圆形足。古人认为，人得道升仙后，会像飞禽那样羽化出翅膀。墓室中出土此物，有墓主人死后追求成仙之意。

77. 新 201754 三彩蛇身双头俑

南宋 / 高 6.1 厘米 长 12.7 厘米

俑为蛇身，双头人面。一女相，表情寂静平和；一男相，嗔目咧嘴吐舌，表情怪异。面皆施黄釉，二蛇身缠绕在一起。

78. 新 201755 三彩太阳

南宋 / 高 10.7 厘米 宽 8.6 厘米

此件形状上圆下方，上施浅色黄釉作太阳，下施酱色釉，上面雕刻波涛纹，波纹高高卷起，线条自然流畅。其放置在砖室火葬墓中，推测是为了驱邪或象征墓主人升天之意。

79. 新 201756 三彩蛇

南宋 / 高 9 厘米 长 12.2 厘米

蛇身施绿黄釉，曲颈，躬身，蹲卧。造型虽简单，却将蛇欲跃起腾飞的状态形象地表现出来。蛇出现在墓室中，或许象征灵魂的复苏或生命形态转化之意。

80. 新 93111 陶男俑

元 / 高 29 厘米　宽 9.7 厘米

　　陶俑面形饱满。穿斜襟长衫，腰系带。右手握于腰间，立于长方形踏板上。元代陶俑出土较少，这与统治民族蒙古族的丧葬习俗有关。目前所见元代陶俑以陕西西安与延安地区居多，多以黑色泥胎为主，鲜见釉色。此俑造型与延安地区贺氏墓出土陶俑基本一致，面形、发式、衣着均具有蒙古族男性的特征。

81. 新 129256 陶马

元 / 高 20.6 厘米　长 23 厘米

　　马头饰笼套，双耳竖立。马颈刻划长鬃，马尾粗长，四足直立于长方形托板上。马身部位塑造的最好，轮廓线条流畅，有肌肉的质感。

82. 新 135548 陶牛

元 / 高 9.7 厘米　长 18 厘米

　　牛呈卧式，头右侧，眼凹，向上方斜视。鼻上翘，双唇紧闭，双角短小，身体肥壮。此作品刻画细腻，如眼睛周围的多层皱皮、颈下分布的条状毛发均清晰可见。腹部浑圆，后臀部呈弧线形，整体形象生动。

83. 新 43838 陶彩绘持物女立俑

<u>明 / 高 23 厘米</u>

　　女立俑头戴圆形高帽，长圆脸，双目清秀。身穿宽袖长衫，下着百褶裙。右手持一件扁圆有纹饰的物品，似沉思状。

84. 新 43861 陶蓝绿釉男立俑

明 / 高 31 厘米

男俑头戴尖顶高帽，身穿右衽大衣，衣袖宽大。腰部以下为垂条状图案，下着靴。左手扶于右胸，右手缩于大袖之内。此类陶俑在明代出土物中还有发现，其形象是否与欧洲传教士有关尚需进一步研究。

85. 新 118493 陶彩绘骑马男俑

清 / 高 43 厘米

男俑头戴红缨笠，蓄八字胡须，头略后仰，显得神气十足。外套对襟半袖马褂，内着窄袖长袍，足穿黑靴。为骑马方便，特意在马褂两侧及后身开衩，后身开衩还将两角上折，并用金色纽扣固定，造型交代得细致清楚。陶俑双手半握，左手上举，右手向下横在腹前，脚蹬镫骑于马鞍上。鞍下垫鞍鞯，鞍鞯施绿彩，外镶红边，后下角呈台阶式内折。

画像砖 画像石

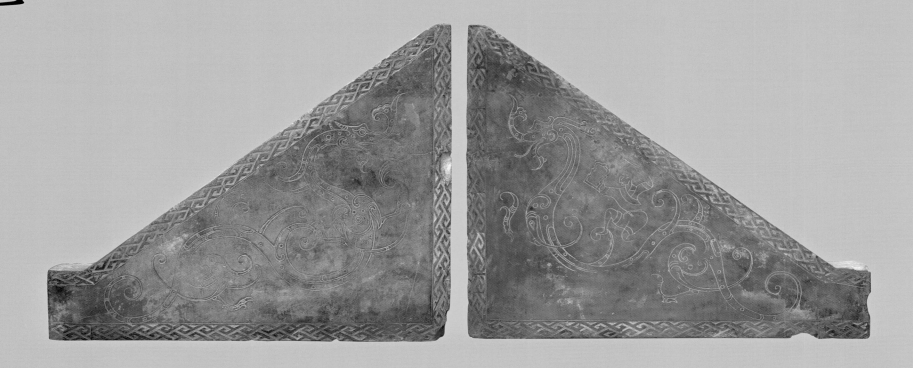

画像石与画像砖

王全利

汉代画像石是我国两汉时期的重要美术作品，它是汉代美术艺术的精华，流行于西汉晚期至东汉末。它的主要特征是造型。造型艺术，是以一定物质材料和手段创造的可视静态空间形象的艺术[1]。从造型艺术的分类看，画像石属雕塑类，在雕塑类中属于石雕品种。这里所说的画像石，一般指汉代画像石，"是中国古代一种独特的艺术形式，系在石材平面，利用雕刻技法并饰涂彩色制作的特殊的壁画，用以嵌饰祠堂和墓室，在汉代铭刻中即称为'画'，具有浓郁的民族色彩和时代特征，在世界其他地区和民族中，不见与之完全相同的艺术品"[2]。或可认为"画像石是指雕刻在墓室、墓阙、墓碑、祠堂石壁或其他建筑物上以石为地，以刀代笔、或用墨线勾勒细部，或施以彩绘的石刻艺术品。"[3]"画像石是东汉时期重要的美术作品。虽系用雕刻的方法制成，实为以刀代笔施于石材平面上的绘画，因此称石刻画。"[4]

在画像石的分布区有着丰富的原料，给营建画像石墓提供了经济条件。汉武帝的"盐铁官营"政策，推动了冶铁技术的发展，为石料的开采和画像石的雕造提供了完美的工具。[5]中国古代社会非常重视丧葬，两汉时期厚葬的规模和程度都超越了其他时代。西汉初期由于战乱对经济的破坏，"民无盖藏，自天子不能具醇驷，而将相或乘牛车"[6]，提倡薄葬。随后到汉武帝时（前140~前87年）风俗转变。在统治阶层的倡导和支持下，厚葬之风兴起。从汉高祖刘邦建国"至武帝之初七十年间，国家亡事，非遇水旱，则民人给家足，都鄙廪庾尽满，而府库余财。京师之钱累百钜万，贯朽而不可校。太仓之粟陈陈相因，充溢露积于外，腐败不可食。众庶街巷有马，阡陌之间成

群……"[7]，社会的繁荣为汉代厚葬习俗提供了物质条件。儒家学说在意识形态领域为汉代厚葬习俗的盛行提供了思想和礼制上的依据。东汉时期厚葬风气比西汉有过之而无不及。东汉推行"举孝廉"制度，将"孝悌"作为选拔官吏的重要标准。人们为了骗取"孝悌"的美名，争相"崇饬丧纪以言孝，盛飨宾客以求名"，"京师贵戚，郡县豪家，生不极养，死乃崇丧"[8]。汉画像石大部分为东汉中晚期的作品，正是厚葬风潮的证明。

唐张彦远《历代名画记》转引西晋陆机说："存形莫善于画。"南齐谢赫在《画品》中亦说："应物象形"。造型既是绘画的特征，也是雕塑的共同特征。汉代画像石亟既不属于一般的绘画艺术品，也不属于一般的雕塑艺术品。"画像"一词来源于汉代。第一含义表示"象刑"。《汉书·武帝纪》诏贤良曰："朕闻，昔在唐虞，画像而民不犯。"颜师古注引《白虎通》曰："画像者，其衣服象五刑也。犯墨者蒙布，犯劓者以赭著其衣，犯髌者以墨蒙其髌处而画之，犯宫者杂屝，犯大辟者布衣无领。""画像"另一含义表示"图画其形象"。在宋代的金石学著作中如《金石录》、《隶释》等常见"画像"一词。它泛指汉代画像石拓片，即把画像石或器物上的图画使用专用工具印在纸上。由于画像石生动形象地记录了当时的社会生活，所以，成为研究汉代政治、经济、思想、艺术、风俗等方面内容的宝贵材料。"除了古人的遗物以外，再没有一种史料比绘画、雕刻更能反映出历史上的社会之具体的形象。同时，在中国历史上，也再没有一个时代比汉代更好在石板上刻出当时现实生活的形式和流行的故事来。""这些石刻画像假如把它们有系统地搜集起来，几乎可以成为一部绣像的汉代史。"[9]

最早记录汉画像石是晋人戴延之《西征记》："焦氏山（北数山，有汉司隶校尉）鲁恭穿山得白蛇白兔，（不葬，更葬山南，凿而得）金，故曰'金乡山'，山形峻峭，冢（前有石祠石庙，四壁皆）青石隐起。自书契以来，忠（臣、孝子、贞妇、孔子）及弟子七十二人形象，像边皆（刻石记之，文字分）明，又有石牀（床），长八尺，磨莹鲜明，（扣之声闻远近，时）太尉从事中郎傅珍（珧）之谘议参军周安穆拆败石牀，各取去（头），为鲁氏之后所讼，二人并免官，焦氏山即金乡山也。"[10] 北魏的郦道元在《水经注》中记录了大量有关汉代画像石及地上画像建筑物的材料。如，汉巫山孝子堂石室。《水经注·济水》："巫山在平阴东北，昔齐侯登望晋军，畏众而归，师旷邢伯闻乌乌之声，知齐师潜遁，人物咸沦，地理昭著，贤于杜氏东北之证矣。今巫山之上有石室，世谓之孝子堂。"[11]

北宋末年赵明诚在《金石录》（全书共三十卷，前十卷是目录，后二十卷为跋尾）中记录了山东嘉祥武氏祠画像及榜题。在卷十九"武氏石室画像"条下跋尾云："右汉武氏石室画像五卷。武氏有数墓在今济州任城，墓前有石室，四壁刻古圣贤画像，小字八分书题记姓名，往往为赞于其上，文词古雅，字画遒劲可喜。故尽录之，以资博览。"[12] 南宋洪适的《隶释》《隶续》，扩大对各地汉画像石及铭刻的著录，增加了对画像内容的描述和考证。如在卷十六的"武梁祠画像"条云："右武梁祠画像石为石六，其五则分为二，梁高行、蔺相如二段又广于他石。所画者古帝王、忠臣、义士、孝子、贤妇，各以小字识其旁，有为之赞文者。其事则《史记》、两汉史、《列女传》诸书，合百六十有二人，有标题者八十七人，其十一人磨消不可辨，又有鸟兽、草木、车盖、器皿、屋宇之属甚众。"[13] 清代随着金石学的兴盛，汉代画像石的发现逐渐增多，为著录研究带来了新的契机。一些金石学家相继著书对汉画像石内容进行考证研究，如：黄易《修武氏祠堂记略》、阮元与毕沅《山左金石志》、瞿中溶《汉武梁祠画像考》、端方的《陶斋藏石记》等。

20 世纪初，近代考古学的发展为画像石的研究带来了新的生机。容庚《汉武梁祠画像考释》一书对武氏祠画像石作了较全面、系统的介绍。滕固《南阳汉画像石刻之历史的及风格的考察》的文章把汉画像石雕刻技法的分析提到重要地位，并通过与希腊、罗马等石刻艺术的雕刻技法对比，把汉画像石的雕刻技法分成"拟绘画的"和"拟浮雕的"两大类。国外的学者用近代考古学的方法进行测量和记录如：法国沙畹、日本关野贞分别调查河南与山东等地的汉代石阙、祠及画像并出版图录。

我国的文物工作者经过调查、发掘、研究，成果丰硕，陆续出版专著论述汉代画像石，如：《南阳汉代画像石》一书，对南阳汉画像石墓的起源、分布、形制分期等问题发表新的认识和见解。[14] 此外，还有许多研究专著、论文和图录的出版，为画像石研究与利用提供了丰富的资料。[15]

中华人民共和国的建立为汉画像石的进一步研究起了推动作用。山东沂南县北寨村汉画像石墓的发掘[16]，揭开了科学发掘的序幕。

我国考古发掘的材料表明，两汉时期是我国画像石发达的年代。画像石的出土总数超过一万块。但是画像石的地区分布并不是均衡的，参照信立祥先生汉代画像石地理分布方法，主要为四个地区：

一　河南南阳、鄂西北。

河南是我国出土汉画像石较多的省份之一，主要分布在今卧龙区、宛城区、唐河区、邓州市等。南阳位于河南省的西南部，北靠伏牛山，南临桐柏山，这里是南阳郡的治所（今南阳市），"西通武关，东受江淮，一都之会也"。[17] 秦置南阳郡，汉政府承袭旧制，在这里设置了铁官、工官等官营手工业工厂，手工业的发展带动商业的繁荣，使南阳郡发展成全国最著名的工商业城市。南阳画像石很早就有出土，先后出版了《南阳汉画像集》[18] 和《南阳汉画像石汇存》[19]。南阳画像石比较集中地分布在南阳地区，东到唐河、桐柏；北到方城、叶县、襄城；南到邓县、新野，西部地区发现不多。这个范围正是汉代南阳郡的中心地区，经济文化较发达。[20]考古发掘材料证明南阳画像石起于东汉早期，以杨官寺汉画像石墓[21]和唐河针织厂汉画像石墓为代表。早期画像石雕刻技法为剔地浅浮雕，空地不留纹或刻出不规则的横线或斜线，突出刻画人物或景物。人和动物采用写实方法，图案性强。题材选自历史故事。兴盛于东汉中期，此期以襄城茨沟永建七年（132年）汉画像石墓为代表。[22]此期雕刻技法日趋成熟，题材丰富。构图采用写实手法，雕刻为剔地浅浮雕，画面上刻阴线表现人和动物的细部。衰落于东汉晚期，此期雕刻方法继承前期，追求图案化，以许阿瞿墓画像石为代表。南阳画像石雕刻特点是剔地并施横、竖纹底的浅浮雕，画像图案上刻简练的阴线条表现物象的细部，豪迈中透着古朴。画像中的人与动物非常写实。鄂西北地区出土的汉画像石主要分布于湖北随州市、枣阳市、襄阳市、当阳县。

二　山东、苏北、皖北、豫东区。

此分布区为先秦时期的齐、鲁之地，自古就是"通鱼盐之利、而人物辐辏"[23]的富庶之地，还是孔孟儒家学说的发祥地。西汉政府重视的冶铁、制盐、丝织三大官营手工业占全国的首位，特别是设在当时临淄的服官，有纺织工匠数千人[24]，"织作冰纨绮绣纯丽之物，号为冠带衣履天下"[25]。除了官营纺织业，平民百姓以纺织为副业，"冬，民即人，妇人同巷相从夜绩，女工一月得四十五日"。[26]东汉时期钢铁工具的进一步发展，解决了刻石工具的数量问题。它使得汉画像石能够大量发展。山东汉画像石早在西汉中期晚期就有了。如昭帝时期的元凤年间的凤凰刻石。山东汉代画像石遍布全省，"其中以鲁南的济宁、枣庄、临沂地区最为丰富"。[27]山东汉画像石的内容丰富，画面复杂，题材广泛，以反映社会现实生活为主；此外还有描绘历史人物，神话故事画像较多，"一切神话都是在想象中和通过想象以征服自然力，支配自然力，把自然力形象化"。（马克思《政治经济学批判》导言）这类画像比较多的是西王母、东王公、祥瑞、仙人、奇禽异兽。西王

母本是古代中国西部的一个部族或地方首领的名称，后来，人们把她附会成长生不死之神仙。"哀帝建平四年……其夏，京师郡国民聚会里巷阡陌，设张博具，歌舞祠西王母。又传书曰：'母告百姓，佩此书者不死'。"[28]苏北地区主要分布于江苏省北部徐州地区。这里土地肥沃，交通便利，经济发达。它是两汉楚国和彭城国统治的中心，共十八代诸侯王及其荫封的子孙在这里留下了众多规模巨大的坟墓，其中不少是画像石墓。[29]"徐州是中国汉画像石的集中分布地之一。这里的画像石数量大、内容丰富，汉画像石在此地的产生、发展与这一地区的发达有直接的联系。两汉时期这里河湖遍布、沃野千里，汉武帝的'盐铁官营'政策，使该地的冶铁业得到大力发展。考古发掘的大量汉代铁器证明，在武帝时期各地铁官已熟练地掌握了铣铁柔化成钢、铣铁脱碳钢等先进冶铁技术。"[30]冶铁为雕刻画像石制造了合适的工具，遍地的石灰岩为雕刻画像石贮备了用之不尽的石材。清同治《徐州府志》碑碣考中就有徐州沛县发现汉画像石的记载。民国年间，著名书法家张伯英先生（徐州人）也收藏、保存了一些汉画像石，但这些都是未经科学发掘的零星发现，1949年新中国成立后发掘了一批汉画像石墓。目前，徐州地区保存汉画像石共500余块。[31]皖北地区画像石主要分布于宿县、定远一带。《安徽文物考古工作新收获》指出："安徽淮北地区的画像石墓已发现了不少，如宿县、褚兰的东汉建宁四年（171年）画像石墓。"[32]豫东地区汉画像石主要集中河南省东部的商丘市。

三　陕北、晋西北区。

陕北与晋西北汉画像石采用页岩，打制磨光后，以石为地，以刀代笔，墨线勾样浅刻浮剔，再上色彩。一般装饰在墓门、门柱、门楣上，它既是建筑构件，又起加固装饰作用。画像石有的刻着墓主人的姓名、籍贯、职官等。

秦汉时期，陕北、晋西北属于上郡、西河郡的辖区。上郡在今鱼河堡附近，西河郡原在长城北面的平定，东汉顺帝永和五年（140年），迁至离石，上郡居夏阳。[33]秦始

皇、汉武帝等帝王多次巡察北方。武帝至宣帝时期多次迁民戍边，如《汉书·武帝纪》所述：元朔二年"募民从朔方十万口"；元狩四年"关东贫民徙陇西、北地、西河、上郡、会稽凡七十二万五千口"。东汉时期继续实行这样的政策，为鼓励边郡屯田，同时制定了优待政策。历年的驻军和迁民实边，为这一地区农业的发展提供大量的劳动力，同时从中原带来的先进技术和文化得以在此地迅速发展。为这一地区画像石墓的营造准备了条件。汉武帝以后尊儒学、倡孝道。元光元年（前134年）推行"举孝廉"制度，人们通过厚葬以获取孝的美名。于是形成"生不极养，死乃崇丧"（王符：《潜夫论·浮侈篇》）的陋习。

陕西汉画像石主要分布于陕北绥德、米脂、榆林一带，以绥德、米脂数量多，神木、吴堡先后发现了一批汉画像石墓，并收集到不少零散出土的画像石。其题材内容和艺术风格与山西离石出土的画像石类同，故陕北和晋西北被视为汉画像石墓分布的又一集中地区。[34]陕北发掘的著名的画像石墓有和帝永元十二年（100年）王得元墓和安帝永初元年（107年）牛文明墓等。山西"出土的汉画像石及陆续收集的零散汉画像石，主要分布在吕梁地区的离石、中阳、柳林等县境的三川河（又称离石水）流域。20世纪50年代初，曾收集一批零散汉画像石，其中以离石县马茂庄出土有使者持节中郎将莫府奏曹史西河左元异墓为著。在20世纪80年代的文物普查工作中，当地文物部门又先后收集了一批零散的汉画像石。"[35]

四 四川、重庆区。

"中国汉代画像石分布在四川、山东、河南和陕北四个地区，其中四川汉代画像石内容丰富，题材广泛，形式多样，雕刻精良，著名中外，种类繁多，主要分布于成都、乐山、重庆等地。"[36]巴蜀为先秦之地，秦灭巴蜀后，建立郡县制度，蜀守李冰在成都平原修建都江堰水利工程，使周围地区"无水旱灾，每岁常熟"[37]东汉晚期中原地区群雄逐鹿，战乱不断，这里却基本没受到影响，经济与文化仍然在发展，使画像石能持续到蜀汉时期。

汉画像石的题材内容极其丰富，目前按画像题材内容，将其概括为八大类[38]：第一，生产活动类。汉画像石表现农耕技术的是牛耕图。如陕西米脂官庄的牛耕图，用一根绳的两端系住两头牛的鼻环，一根犁衡架在两头牛的肩上。这样很好的固定两头牛，又能协调其行动，最大限度地发挥出牛挽犁的力量，它是汉代普遍采用的犁耕方式。陕西绥德王得元墓画像石上刻有一牛挽犁图，无人牵牛而用犁套驾的短辕犁，反映了犁耕方法的进步。故宫博物院收藏的一块墓室门楣画像石上刻着狩猎场面。第二，墓主仕宦和身份类。车骑出行是汉画像石上最常见的，出行行列中有轺车、辎车等车辆，前后迎送，表现王公贵族的威仪与排场。以及属吏、谒见等。第三，墓主生活类。庖厨、宴饮、乐舞百戏画像，反映当时豪强地主奢侈生活等。第四，历史故事类。宣传古代圣贤、忠臣孝子故事。内容多是宣传古代帝王圣贤和伦理道德，其目的如东汉人王延寿《鲁灵光殿赋》所说："恶以戒世，善以示后"。如故宫博物院收藏的"二桃杀三士"画像石等。第五，神话故事类。东王公、西王母、四神和象征神仙世界的奇禽异兽等。第六，祥瑞类。表现吉祥事物。第七，天象类。主要象征日月星辰。第八，图案花纹类。有三角纹、流云纹、穿环纹及门扉上的铺首衔环等。

汉代人笃信神仙，希望死后还能继续享受生前的荣华富贵，唯恐死后"魂孤无附，丘墓闭藏，谷物乏匮，故作偶人以待尸柩，多藏食物以歆精魂"。于是，墓葬中"厚资多藏，器用如生人"（《盐铁论·散不足》），加之汉人以儒家礼制为信条，实行"察举孝廉"制度，因此形成厚葬之风。

画像砖是我国古代一种集雕刻和绘画为一体的美术作品，是为丧葬礼俗服务的一种独特的艺术形式。它出现于战国晚期，兴盛于汉代，三国两晋南北朝时期继续流行。画像砖是墓葬建筑的一种特殊材料，它是刻有画像、花纹或用模印雕刻的砖。根据需求的不同，烧制成不同的形状。画像砖的形制大致有空心砖和实心砖两种。汉代雕塑家准确地抓住人们在各种活动中最精彩生动的瞬间，删繁就简，遗貌取神，采用多种造型手法，对瞬间状态进行集中表现。画像砖集中分布在河南与四川两省，河南发现的画像砖有郑州、洛阳、南阳及周边地区，这样就形成了砖的形制、画像风格与内容等方面存在不同的差异。洛阳的空心画像砖都是西汉中后期的遗物，出土地点在洛阳北郊邙岭，所以画像砖用料多选择洛阳北郊邙岭所出的富于黏性和韧性的红褐色土质，经过淘洗、加工制泥、拉坯成型、模印花纹、入窑烧制等工艺过程而制成。为了减轻砖的重量并便于烧制，专门设计为空心，两端留孔。空心画像砖的型制依据不同的要求而制出不同的种类，洛阳出土的空心砖是用多种技法结合模子压印画像图案，砖的背面及侧面，重复压印花纹和图案，砖的主要画面安排在中心部位，有的画像砖的阴线内，可见刀刻的痕迹，应该是砖坯晾干后，再进行必要的修饰。洛阳出土的阴线刻画像砖的题材简单，有持戟武吏、虎、朱雀、树。画面构图疏朗，一般画面为横幅排列。排列方式的不同，组合出不同的画面。[39]洛阳出土的空心画像砖人物与动物描绘的栩栩如生，通常以侧面姿态来描绘，在不失整体的前提下，注重细节的处理，能把人物的年龄、性格、思想情绪、社会地位、身份、阶层的不同进行不同的描绘，武士、小吏、猎手的形象有着鲜明的区别。另外，通过对服饰、道具的刻画来完成人物形象的塑造：守卫门阙的武士身着长袍，手执长戟，腰间配剑，须眉怒张，显得威武凶猛；射箭的猎人将箭搭在弦上，弓已张满，一触即发，气氛紧张；伏虎猎人衣袖挽起，短裤束腰，手执绳索，表现出武士的勇敢气魄。[40]郑州的画像砖无论是平面浮雕的，还是凹面阴雕和阳线刻出来的，均多用简洁而刚劲的线条，少见柔和流媚的用线。郑州出土的画像砖有平面浅浮雕，系用小印模压印出细腻平整的画像，平面上再加阳刻线条。阳线刻也用小印模，在平面上凸起阳线，线条比例适当。阴刻与阳线刻的刻法细腻，用小印模在空心砖坯上模印出连贯的画面。深压的印模表现出阴刻的轮廓。每组画像的印模大小不同，依其

形制可分为竖长方形、横长方形和方形等。画像内容有阙门建筑、各种人物、乐舞、车马等。[41]南阳出土的画像砖有两种，空心砖和实心砖。砖面用一个印模，构图紧凑，画像砖为横幅画面，并装饰花边。实心砖没有花边。

汉代画像砖中，四川与山东、河南两地不同，具有鲜活的世俗生活味道，较强的地域性特征。四川画像砖每一块都是一个完整的画面。反映当时四川地区富庶的社会经济和丰富多彩的民间风俗。它具备现实主义的写实与夸张技法相间的风格，其题材十分丰富，古圣先贤、历史神话与现实生活无所不有，特别是现实生活，如水田劳作、有收获、采莲、桑园、放筏、采桐、狩猎和采盐等生活劳动场面，多以浅浮雕结合凸线阳纹表现。四川发现的画像砖主要在成都及周边。成都出土的画像砖接近正方形，画面多呈薄浮雕，然后在浮雕上再加以突出的线条。[42]德阳、广汉等地出土的画像砖为长方形，浮雕较高，立体感强。[43]

汉画像石、画像砖的研究在 20 世纪已引起学者们的关注。它们对研究汉代社会的经济生活、风俗、艺术思想等都是珍贵的图像资料，发掘画像石、画像砖的史料价值成为大家研究的重要内容。

注释：

1. 高等艺术院校编辑组：《艺术概论》，文化艺术出版社，1983 年。

2. 杨泓：《汉画像石研究的新成果——评〈中国汉代画像石研究〉》，《考古》，1997 年第 9 期。

3. 王建中：《试论汉画像石墓的起源》，南阳汉代画像石学术讨论会办公室编《汉代画像石研究》，文物出版社，1987 年。

4. 中国大百科全书编辑委员会：《中国大百科全书·美术》，中国大百科全书出版社，1990 年。

5. 中国社会科学院考古研究所编：《满城汉墓发掘报告》，文物出版社，1980 年。

6.《汉书·食货志》。

7. 同 6。

8. 王符：《潜夫论》。

9. 翦伯赞：《秦汉史·序》，北京大学出版社，1983 年。

10. 王国维：《水经注校·济水》，上海人民出版社，1984 年。

11. 同 6。

12. 赵明诚：《金石录》，中华书局，1983 年。

13. 洪适：《隶释》，中华书局，1985 年。

14. 南阳汉代画像石编辑委员会：《南阳汉代画像石》，文物出版社，1985 年。

15. 南阳汉代画像石学术讨论会办公室：《汉代画像石研究》，文物出版社，1987 年。江苏省文物管理委员会：《江苏徐州汉画像石》，科学出版社，1959 年。徐州博物馆：《徐州汉画像石》，江苏美术出版社，1985 年。山东省博物馆、山东省文物考古研究所：《山东汉画像石选集》，齐鲁书社，1982 年。陕西省博物馆：《陕北东汉画像石》，陕西人民美术出版社，1985 年。高文：《四川汉代画像石》，巴蜀书社，1987 年。信立祥：《汉画像石的分区与分期研究》等。

16. 蒋宝庚、黎忠义等：《沂南古画像石墓发掘报告》，文化部文物管理局，1956 年。

17.《汉书·地理志》。

18. 关百益：《南阳汉画像集》，上海中华书局，1930 年。

19. 孙文青：《南阳汉画像石汇存》，金陵大学文化研究所（上海），1937 年。

20. 河南省博物馆《南阳汉画像石概述》，《文物》1973 年第 6 期。

21. 河南省文化局文物工作队《河南南阳杨官寺汉代画像石墓发掘报告》，《考古学报》，1963 年第 1 期。

22.《考古学报》，1964 年第 1 期。

23. 同上。

24.《汉书·贡禹传》。

25. 同 17。

26.《汉书·食货志》。

27. 山东省博物馆等：《山东汉画像石选集》，齐鲁书社，1982 年。

28.《汉书·五行志》。

29. 信立祥：《汉代画像石综合研究》，文物出版社，2000 年。

30. 中国科学院考古研究所，河北省文物管理处：《满城汉墓发掘报告》，1980 年 10 月。

31.《徐州汉画像石》编辑委员会：《徐州汉画像石》，中国世界语出版社，1995 年。

32. 文物出版社编：《文物工作三十年》，文物出版社，1981 年。

33.《后汉书·顺帝纪》：永和五年“丁亥，徙西河郡居离石，上郡居夏阳，朔方居五原。”

34. 高炜：《汉代的画像石墓》，中国社会科学院考古研究所编《新中国的考古发现和研究》，文物出版社，1984 年。

35. 山西省考古研究所：《山西考古四十年》，1994 年。

36. 高文：《四川汉代画像石》，巴蜀书社，1987 年。

37. 同 21。

38. 余伟超，信立祥：《汉画像石墓》，中国大百科全书编辑委员会编《中国大百科全书·考古学》，中国大百科全书出版社，1986 年。

39. 周到等：《河南汉代画像砖》，上海人民美术出版社，1985 年。

40. 史家珍、李娟：《洛阳新发现西汉画像砖》，《中原文物》2005 年第 6 期。

41. 郑州市博物馆：《郑州新通桥汉代画像空心砖墓》，《文物》1972 年第 10 期。

42.《成都昭觉寺汉画像砖墓》，《考古》1984 年第 1 期。

43. 刘志远等：《四川汉代画像砖与汉代社会》，文物出版社，1983 年。

86. 新 112932 虎马凤鸟纹画像砖

<u>西汉 / 高 46.7 厘米 宽 120 厘米</u>

  采用阳模凹印，画面有凤鸟、树木、虎、马等纹饰。这些纹饰均由独立的木质印模多次压印而成。凤鸟、虎、马简洁生动，富有动感。汉代艺术十分重视神韵的刻画与表达，尤其擅长用线条突出人物、动物的特征，此画像砖典型地反映出这一艺术特征。此画像砖出自洛阳邙山一带。

西汉 / 高 53 厘米　宽 142 厘米

　　画像砖分空心砖和实心砖两种。此砖为洛阳地区出土的空心砖。空心砖的制作方法是用木板制成木模，然后在底部和周壁抹约 4 厘米至 5 厘米的砖泥，用手在泥面上进行摁压或用木制工具拍打。阴晾半干时，打印各种花纹图案。图案内容丰富，有人物、虎、鸟、鹿等，疏密有度，富有装饰性。此幅画面表现的是狩猎场景。砖的外周边用规矩纹装饰。

88. 新 104385 人御龙画像砖

西汉 / 高 82.5 厘米　宽 103 厘米

　　此画像砖一面飞龙腾空，人骑在龙上，另一面只有一龙。升天成仙是汉人的理想，此图像与马王堆汉墓出土帛画有相似之处，内容中均有龙与人的形象，应与升天观念相关。在先人的观念中，人升腾登天升仙，多数是以龙为"媒介"的。马王堆汉墓出土帛画中龙与人在帛画的上部，三角形画像砖一般用于尖拱形墓室墓门上部或后室上部，在方位上也含有向上升腾之意。此画像砖两面皆有图像，向外的图像可能兼含有镇墓驱邪的作用。

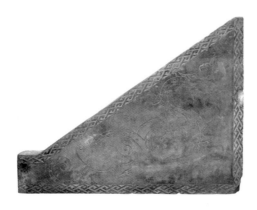

89．新 75855 西王母车骑画像石

东汉／高 62 厘米　宽 80.5 厘米

汉代画像石中表现西王母的内容很多。西王母最初是一个半人半兽的凶神，但在汉代人的心目中，西王母是一位保护神，不仅生前要靠她的护佑，死后也要祈求她的保护。此石分上下两层，上部为西王母端坐中间，左边三人手持嘉禾，跪拜在西王母面前。右边一人双手持嘉禾跪拜，其身后站立手捧嘉禾的羽人，另有凤鸟与九尾狐。下部为出行图，前面为一导骑，肩扛武器。中间是辂车，上坐二人，前为御者，后面之人头戴冠，手持便面。辂车是一种四面敞露、可以坐乘的小车。车后有骑马与步行的随从。

90. 新 75850 朝拜家居门楣画像石

<u>东汉 / 高 53.3 厘米 宽 162 厘米</u>

　　画面分上下两部分，中间是一幢两层楼房，楼上端坐四人，楼外有多人站立在平台上。楼下坐一人，后立一侍者，身前一人匍匐在地。门外左右各一阙，阙下各一人，向楼躬身。天空有四只飞鸟。楼外左右各一人似欲谒见。楼下左面一人接待到来的客人。楼下右面停着一辆有华盖的轺车。

91．新 189352 鸟兽虎纹画像石

<u>东汉／高 104 厘米　宽 61.6 厘米</u>

　　此画像石分上下两部分，上部有 4 只怪兽与 1 只朱雀，下部为 1 只行走的虎。石外缘装饰半圆形连弧纹。徐州画像石，较著名的发现有徐州茅村、睢宁九女墩、铜山苗山、周山、洪楼等，因地域相邻的缘故，题材风格更接近山东的特点，但二者又不尽相同。首先在构图上，徐州画像石"余白"较山东要多，讲求画面对称，有单、双层排列两类及主次、大小的区别，或通过建筑物等场景将其自然区分成若干段落，局部与整体画面既相对独立，又和谐统一。其次是装饰图案较多，特别是在画面较大的画像石上尤为明显。一般外围呈半圆形图案，中间为双层菱形图案，最内才是画面中心。有的还在画面中心上部填充独角兽等祥瑞动物，画面规矩严谨。此画像石为徐州睢宁双沟出土。

92. 新 62545 拥彗门吏画像石

东汉 / 高 116.5 厘米　宽 35 厘米

　　此画像石的画面分四部分，右上为卷草纹，卷草纹下为一仙人。左上部为二人盘坐，中间一人在跳盘鼓舞。下为弄丸表演，旁边一人在吹奏乐器。左下部为持彗者。下部为一奔马。此画像石为墓门门扉旁之石柱，陕西绥德县出土。陕北地区自汉武帝时便是汉朝养马的重要场所之一。主要因为这里与匈奴控制区相接，战事频繁，而马匹是汉朝与匈奴及其他民族战争中不可缺少的工具。汉朝特别在西河郡设置马丞之官，在其下属的圜阳也有马丞之官。可见其重视程度之高。另外，这一地区还是出相马师的地方。此马与甘肃武威出土的铜奔马相似，铜奔马据顾铁符先生考证为"马式"，此画像石上的马很可能与之相关。

93. 新106006 神兽玉兔捣药门楣画像石

东汉 / 高 38 厘米　宽 180 厘米

陕西画像石以绥德、米脂出土为多，雕刻多施于门楣、门柱、门扉上。画像石古朴稚拙，含义深奥，典型地反映着陕北地区汉代文化的特征。这幅画像石出土于绥德地区的东汉墓中，为墓门的门楣。画面分上下两层，采用减地浅浮雕的手法。上层为卷草纹，两角为日月轮。下层画面有手举嘉禾单腿跪拜的羽人与独角神马、独角兽、翼龙、虎、玉兔捣药、双头神鹿等。

画像砖 画像石

94. 新 106008 执戟门吏画像石

<u>东汉 / 高 116.5 厘米　宽 38 厘米</u>

　　陕西地区东汉墓葬中出土的画像石上雕刻的西王母神仙图刻绘于墓门立柱的固定位置，目的是祈求西王母引导亡灵升天成仙。神秘莫测的各种图像，把墓室扮装成一个生命更新、延续的转换场所，那里没有死亡的恐怖、离别的哀伤，处处表现出踏歌起舞，驾鹰走犬，欢聚饮宴的美好生活场景，人进入墓葬不是走向死亡，而是象征着新生命的开始。此画像石画面分三部分。西王母坐于神树上，两羽人在两旁跪姿捧物，树干有仙禽灵兽。中间画面有一执戟门吏。下面为四目对视的玄武。

95. 新 106015 文吏画像石

<u>东汉 / 高 113.5 厘米　宽 38 厘米</u>

　　此画像石画面分三栏，上部为端坐的东王公，下面为九尾狐、神兽。中栏为一笼袖站立之人。底栏为一辆行驶的轺车，前面一御者，后面坐一高冠的官人。边栏装饰连续的卷草纹。

96. 新 106009 朱雀铺首门扉画像石

<u>东汉 / 高 113 厘米 宽 50.5 厘米</u>

　　此与新 106010 号画像石为一对。门扉上面刻画展翅的朱雀，口中含仙丹，翅羽用阴线来表现。中部铺首衔环，兽耳平齐。下部刻青龙，张口吐芯，曲颈，背生双翼，长尾向上翘起。

97．新106010 朱雀铺首门扉画像石

<u>东汉／高 112.5 厘米　宽 49.5 厘米</u>

此与新106009号画像石为一对。门扉
上面刻画展翅的朱雀，口中含仙丹，翅羽用阴
线来表现。中部铺首衔环，兽耳平齐。下刻
白虎，张口狂吼，长尾卷曲。

98．新 105996 出行门楣画像石

<u>东汉 / 高 38 厘米 宽 206 厘米</u>

此画像石画面分两栏。上格饰蔓草纹，日月高悬在左右两边。下栏画面左侧一人捧笏躬身迎接行进的车骑队伍，两名导骑在前面导引，中间为一轺车。御者在前，主人坐后。车后为一骑从。后面又是同样的轺车与骑吏。

99. 新 105997 拥彗门吏画像石

<u>东汉 / 高 127 厘米　宽 37 厘米</u>

　　此与新 105998 号画像石为一对。画面分两栏，外栏蔓草纹，内栏上方为东王公踞于仙树上，还有羽人、仙禽神兽，下方为执彗门吏。在画像石中，除了门吏还有手持扫帚的人，代表礼仪。古代称为"拥彗"。彗为扫帚，古人迎候尊贵的客人，常拥彗以示敬意。底为玄武。

100. 新 105998 执戟门吏画像石

<u>东汉 / 高 122 厘米　宽 37 厘米</u>

　　此与新 105997 号画像石为一对。画面分
两栏，外栏蔓草纹，内栏上方为西王母踞于仙
树上，还有羽人、仙禽神兽，下方为执戟门吏，
门吏即小吏。汉代做官人按照级别设门吏。
一般的门吏手持戟或盾牌，出行时也可用作
仪仗使用。底为玄武。

101. 新 106012 狩猎门楣画像石

东汉／高 36.5 厘米 宽 193 厘米

    此画像石画面分两栏，上栏画面为仙禽神兽，以卷草纹为装饰。下栏刻画张弓骑射、与野兽搏斗的狩猎场面。门楣的左右两角分别刻日月轮。东汉时期的陕北地区，是中央政权在此屯兵、移民的地方。这种大型的骑猎活动，是对当时社会风貌的真实再现。故门楣上雕刻狩猎场面是陕北出土画像石上经常出现的题材。

102. 新 144472 拥彗门吏画像石

东汉 / 高 117.2 厘米　宽 35 厘米

　　此与新 144473 号画像石为一对。外栏珍禽异兽穿插在纹饰间，牛首东王公端坐在高耸入云的神山之顶，一狐一鸟左右护卫。中间为拥彗的门吏，下为玄武和柿蒂纹。

103. 新 144473 执戟门吏画像石

<u>东汉 / 高 117.5 厘米　宽 35 厘米</u>

　　此与新 144472 号画像石为一对。外栏珍禽异兽穿插在纹饰间，鸡首西王母端坐在高耸入云的神山之顶，一狐一鸟左右护卫。中间为执戟的门吏，下为马和柿蒂纹。

104. 新51509 郭季妃墓门扉画像石

<u>东汉／高 124 厘米　宽 48 厘米</u>

　　此与新 51511 号画像石为一对，此居左。门扉上部为朱雀，中间为铺首衔环，下部为独角兽。门扉中间凿一孔，为的是安置把手。门扉上刻有"西河圜阳郭季妃之椁"九字。据《汉书·地理志》记载，西河郡为汉武帝元朔四年（前 125 年）置，圜阳为其下属县之一。门扉是墓室的大门，按照墓葬构筑规律，其旁应有门柱，门柱与门扉之上有门楣，门扉上有轴与门楣相接，这样可以开启或关闭墓门。门扉上的图案在山东及河南南阳等地均有发现，应是受这些地区影响而来。此门扉1920 年左右出土于山西离石。经古董商转运北京，被当时北京大学国学门收购，后入藏于故宫博物院。

105. 新51511 郭季妃墓门扉画像石

<u>东汉／高 124 厘米　宽 49 厘米</u>

　　此与新 51509 号画像石为一对，此居右。门扉上部为朱雀，中间为铺首衔环，下部为玄武。门扉图案采用剔地浅浮雕方法，先将石材打磨光滑，用墨线画出图像轮廓，再将画面余白剔除，从而凸显图像本身。陕北等地汉墓中发现有"西河"地名的达十余处，其中涉及郭姓就有"郭季妃"、"郭仲理"、"郭稚文"、"郭氏夫人"等，而《汉书·游侠传》与《后汉书》中分别有"西河郭翁中"、"黄巾余贼郭太等起于西河白波谷"的记载。推测郭姓可能为当地的望族大姓。此门扉 1920 年左右出土于山西离石。经古董商转运北京，被当时北京大学国学门收购，后入藏于故宫博物院。

西河圖影鄲季妃之榑

106. 新 62538 石文吏像石

隋／高 134 厘米　宽 52 厘米

　　此与新 62548 号武士像为一对，原置放在墓门入口处。东汉王充《论衡·乱龙》载："故今县官斩桃为人，立之户侧，画虎之形，著之门阑……刻划效象，冀以御凶。"所谓门阑，就是我们现在所称的门柱。它起的作用就是保护门扉。墓室正面一般较宽，门扉由于石材与美观方面的要求不可能太宽，从而给门柱提供了足够的表现空间。这类门柱的题材以门吏、四神、东王公、西王母等为主，间以花草图案为装饰。含有严防凶神恶煞入侵，期冀墓主人上升天国，长生不老之意。东汉时期的这一表现方法，在魏晋南北朝到隋唐时期开始简化，只将门吏题材保留下来，衍变而成文武对称，一左一右形式。此为文吏像，头戴幞头，身穿窄袖翻领胡服，腰中系带，双手交拱胸前。身前有一细长之物，不明其名称与作用。足下刻有虎形兽。

107．新 62548 石武士像石

<u>隋 / 高 134 厘米　宽 52 厘米</u>

　　此与新 62538 号文吏像为一对，原置放
在墓门入口处，起守护墓室的作用。此种题
材，多出现在隋至初唐时期，以山东地区考古
发现最多。武士头戴鹖冠，身穿裲裆，双手笼
袖相交，拄剑直立。足下刻有虎形兽。采用
剔地浅浮雕方法，人物轮廓更加清晰。

108. 新 62540 青龙画像石

隋 / 高 84 厘米 长 104 厘米

古代四神为青龙、白虎、朱雀、玄武，
又有四灵、四象等称谓。四神原本是远古人
类崇拜的动物神，其起源与原始星辰崇拜有
直接关系。青龙身似长蛇，麒麟首，鲤鱼尾，
面有长须，犄角似鹿，有五爪。古代神话人
物如祝融、颛顼、黄帝多乘龙而行。四神同
时出现，既有表示方位的含义，也有镇墓的
因素。此人御青龙画像石，便是这些因素的
综合体现。

109．新 62539 白虎画像石

<u>隋／高 83 厘米　长 102 厘米</u>

　　《风俗通义》云："虎者，阳物，百兽之长也，能执搏挫锐，噬食鬼魅。"这就是为什么在中国古代墓葬中多出现虎的原因之一。虎在四神中为西方之神，西方也是逝者归天所追求的最终极乐之地，故逝者除乘龙外，也有御虎升天者。此人御白虎画像石，采用剔地浅浮雕方法，人骑在虎背之上，白虎四肢腾起，向天空飞翔。

110. 新 117745 朱雀画像石

<u>隋 / 高 45 厘米 长 126 厘米</u>

　　朱雀即凤凰，朱雀生性高洁，饮必择食，栖必择枝，在古代被尊为鸟中之王，是祥瑞的象征。相传凤凰现则天下太平。此朱雀张翅振羽，做欲飞翔之状。

111. 新 62541 玄武画像石

<u>隋 / 高 96 厘米　长 98 厘米</u>

　　玄武是北方之神，由龟与蛇组成。此画像石龟在下部，长颈伸出。蛇身缠绕龟身，蛇头向上，仰头张望。龟形体厚重，蛇轻盈灵动、一静一动，相得益彰。

112. 新 118951 武士砖

<u>隋 / 高 39.5 厘米 宽 17.5 厘米</u>

武士头戴小冠，双睛微合。身穿宽袖衣，
胸前外穿裲裆，双手笼袖相交，挂剑直立。该
砖采用阴模压印而成，武士像微凸出平面，有
南朝文化遗风。湖北武昌隋墓出土。

113. 新118956 武士砖

隋／高32厘米　宽18厘米

　　武士头戴小冠，双睛微合。身穿宽袖衣，胸前外穿裲裆，双手笼袖相交，挂剑直立。该砖采用阴模压印而成，武士像微凸出平面，衣袖处理夸张，更增加了立体感。侧面有卷枝草花纹。湖北武昌隋墓出土。

114．新 118960 人物砖

隋 / 高 37.5 厘米　宽 17.2 厘米

　　砖四周饰联珠纹，发髻飘带为了在平面上表现出来，而做成上扬的形式。胸前结带，双手拢袖，长裙下垂。湖北武昌隋墓出土。

115．新 118958 武士砖

唐 / 高 36.8 厘米　宽 25.5 厘米

　　武士左手持盾牌上举，右手握刀，头戴盔，身穿甲，下着束腿裤。赤足，呈跪姿。湖北武昌唐墓出土。

116. 新118943 青龙砖

唐 / 高 32 厘米　长 79.3 厘米

　　从新石器时期河南濮阳西水坡蚌塑"人
骑龙虎图案"出现开始，这一题材一直成为
与葬俗密切相关的内容。特别是两汉至隋唐
时期，龙虎同时出现，既有表示东西方位的含
义，也有镇墓的因素。若是与人联系在一起，
又包含墓主人"升仙"之内容。此青龙砖，
线条流畅，有飞动之感。湖北武昌唐墓出土。

117. 新 118944 白虎砖

<u>唐 / 高 32 厘米　长 74 厘米</u>

　　《风俗通义》载："虎者，阳物，百兽之长也，能执搏挫锐。"白虎是"四神"中的西方之神，西方在五行中属金，白色。所以叫它白虎。白虎传说为主战、杀伐之神，具有避邪禳灾、惩恶扬善、发财致富、喜结良缘及祈祷丰收等多种神力。此白虎砖上人在前，虎在后，好像是由人导引白虎。湖北武昌唐墓出土。

118. 新 118945 朱雀砖

<u>唐／高 25.5 厘米　宽 22 厘米</u>

　　朱雀是"四神"中的南方之神，朱为赤色，象征火，南方属火，所以叫朱雀。此朱雀砖上朱雀双足离地，展翅在空中飞翔。湖北武昌唐墓出土。

119. 新 118946 玄武砖

<u>唐 / 高 29.3 厘米 宽 22 厘米</u>

　　玄武是龟与蛇相缠而成的图案，它是"四神"中的北方之神。此像龟背凸起，长蛇与龟交绕，蛇首与龟首相对。蛇首口唇上下飘动的髭须，为原本相貌丑恶、行动迟拙的爬虫平添传神之笔，使画面生趣盎然。湖北武昌唐墓出土。

佛教造像

根植于传统文化中的佛教艺术

胡国强

在印度佛教艺术中佛的形象出现的时间较晚，早期一般用宝座、法轮、伞盖、菩提树等象征方法表现。公元1世纪，贵霜帝国建立，定居犍陀罗（Gandhara，相当于今天巴基斯坦白沙瓦和毗连的阿富汗东部一带），其第三代王迦腻色迦崇信佛法，在贵霜区域内兴寺建塔，允许民众礼拜佛像。犍陀罗地区长期受希腊文化影响，原来就有崇拜偶像的习惯，佛像最早出现在这一地区。佛教艺术传入我国，大约在东汉时期。佛教艺术在我国传播初期，融合了民众的审美需求，在不断吸收我国传统文化精髓的过程中，逐渐完善和发展自己。

目前我们能看到在我国出现的最早佛像，四川乐山麻浩与乐山柿子湾崖墓中东汉时期的浮雕佛像。从佛像身着通肩式袈裟的样式和圆形头光等特点，明显可以找到犍陀罗造像风格影响的痕迹。另外四川彭山崖墓出土的陶钱树座，上面也贴塑有头上长肉髻身着通肩式袈裟的佛像。这一时期的某些壁画、画像石中也有佛教题材内容出现。但这时期佛像还只是零星出现，并不十分普及。有一点需要注意，就是东汉时期的佛像多发现在墓葬之中，这在后来是很少见到的。在四川乐山麻浩崖墓佛像出现在墓门内上方，正与西汉时期壁画墓中流行仙人出现的位置相当，说明当时民众对外来佛教与传统文化中神仙思想的概念是比较模糊的。

三国两晋时期，在长江中下游地区出土的铜镜、谷仓罐等上面也可看到佛教题材的图案。故宫博物院收藏有一件西晋画纹带神佛铜镜（新 168518），镜背中心位置有几尊浮雕佛像和菩萨像，可见肉髻，头光，手持莲蕾或施无畏印，坐像有结跏趺或半跏趺坐。同时在铜镜上还铸有西王母以及乘坐的六龙驾驭的紫云辇和青龙、白虎、朱雀、骑鹤羽翼仙人等文饰，不过这些传统仙人瑞兽图案已经被安排在铜镜外区画纹带上，明显处于从属位置，与占据中心区域主要位置的佛像形成鲜明对比。这种图案布局情况说明：这时期佛教在中国已经取得相当的地位，但依然还要附着在传统文化上进行传播。

铜菩萨立像（新 78806）传说是东晋时期的产物，应该是故宫博物院藏品中时代最早的一件单体佛造像。菩萨面部特征接近于欧罗巴人种，明显带有犍陀罗艺术风格的特色。现藏于日本东京都藤井有邻馆的另一件铜菩萨立像，相传出土于陕西三原，其风格与这件菩萨像基本相同，均为深目高鼻、留八字胡须，衣纹呈平行隆起"Z"字形状，可与故宫这件菩萨像相对照。由于这两件作品不仅带有犍陀罗艺术风格特点，而且铜质以及铸造方法似乎都与国内造像有区别，所以有学者认为它们都是当时外国的舶来品。完全独立的单体佛教造像出现的时间略晚。陈万里先生 1958 年捐献给故宫博物院的这件晋青瓷禅定佛坐像（新 82706），高仅有 16.5 厘米。佛像头顶肉髻有残，卷发，眉心有白毫，眼眶内凹，高鼻梁，唇上塑有八字胡须，身披通肩式袈裟，施禅定印，掌心向上，结跏趺坐姿。从塑造技法上分析，其应出自青瓷烧制较为发达的江浙一带。由于此像带有明显的欧罗巴人种特征，是这一时期以外来样式作为粉本制成的单体佛像。

美国旧金山亚洲艺术馆所藏建武四年铜鎏金禅定坐佛像，高 39.7 厘米。佛像下方长方形台座背后刻有"建武四年岁在戊戌八月卅日"等铭文，建武四年铜鎏金禅定坐佛像由此得名。建武是十六国后赵使用的年号，建武四年即公元 338 年，是目前所见最早的纪年造像。此像肉髻高束，发丝梳理整齐，上额宽下颌窄，面部较平，细眉长眼，鼻翼宽，鼻梁较低，明显为中国人种的面貌特征。身着通肩式袈裟，衣纹排列整齐，左右对称，呈多重"U"字纹并以胸、腹为中心各形成两个单元，文饰之间看不出有任何牵带的联系，完全是一种图案化的表现方法。袈裟两端从内向外缠绕臂腕垂下，看上去很像传统袍服的宽大袖口。佛像作禅定印，双手相迭，掌心贴于腹前。结跏趺坐长方形台座上，台座正面有三个小圆孔，位置呈品字形。金申老师认为两侧圆孔原来是用来插接护法狮，中间则是插接水瓶花叶或汉式博山炉。[1] 对照这一时期前后佛造像，金申老师的推断是成立的。故宫博物院所藏十六国时期的禅定佛坐像有十几件，大多数高在 8 厘米上下，最大者也不超过 20 厘米。这些造像均为中国人种的面貌特征，衣纹也与建武四年造像相似，台座前面两侧一般都铸造有护法狮正面像。这些说明在十六国时期，在中国佛像已经基本上完成了本土化的改造。

河北石家庄和甘肃泾川县出土的两尊十六国时期的铜鎏金佛像，都保留相当完整。造像背后插接背光，背光上面还连接宝盖，在佛像的下面还套有四足趺床。造像与背光、宝盖、趺床是分铸后组合在一起的。而故宫博物院保留下来的佛造像大多不见背光、宝盖和趺床，应是在上千年的流传过程中遗失了。故宫博物院藏铜鎏金禅定佛坐像（新 17040），通高 19.5 厘米，是相对较为完整的一件。对照河北石家庄和甘肃泾川县出土的两尊佛像，推测背光上面还缺少一柄伞盖。造像风格也与之相似，但两侧供养人身着的服饰已经完全是中国传统样式。佛像身后附葫芦形背光，背光周边错落有致地排列着五尊化佛，化佛均禅定印坐于覆莲圆座上。造像新颖独特，人物排列组合繁而不乱，以小衬大，在视觉上达到了突出主尊像地位的效果。现在背光与造像已经完全被锈住，不过下面套接的四足趺床仍然可以被分开。背光上面五尊化佛和两个供养侍从是通过圆形榫卯相接。顶端化佛歪向一侧，由

于榫头与榫眼现在锈住，不便再扶正。

李静杰先生在《早期金铜佛的谱系研究》文章中对禅定佛像手印演变情况进行了专门分析，认为大致经历手心向上、向内、再向上三个时期的演变过程，但第一期和第三期手心向上的样式并不完全相同，前者两手拇指翘起与其他手指结成环形、后者拇指则与其他手指并拢在一起。[2] 十六国时期至北魏早期的禅定佛像主要流行手心向内的样式，然后再过渡到手指并拢向上的样式。但在曲阳出土的白石造像中，东魏时期的佛像仍然保留有手心向内的样式[3]。杨泓先生认为这种手心向内的手印是受到中国传统神仙像影响的结果[4]。可见佛教早期依附中国传统文化进行传播的痕迹，直到东魏时期仍然在一些佛教造像上面有所保留。第一期保留下来的佛像数量很少，多为深目高鼻、上唇留八字胡须的外来人种形象。以十六国时期建武四年铜鎏金禅定坐佛像为标志，说明最迟到十六国时期这种外来人种面孔形象的佛像已经逐渐退出，面相则变为中国人种的面相。而这种转变还可以在佛像所披通肩式袈裟上得到印证。所谓通肩式袈裟，是将一条长布披裹在身上，然后将长端由右侧甩向左侧肩头。由于袈裟要下坠滑落，形成的纹理自然会向右下偏移。通过实物可以看到第一期佛像的袈裟、衣纹多为一组一组圆弧形，弧纹中心都偏向右侧。这符合于自然形成的纹褶。而到了第二期，以建武四年为代表的许多的佛像袈裟衣纹，虽然也是由一组一组圆弧形或略方弧形纹表现袈裟衣纹，但弧心却在人体的正中，这种讲究对称图案的纹饰应是中国传统文化影响的产物。另外，袈裟是披在身体上的长条布，本无袖可言，不过这时期的造像都用袈裟两端缠绕手腕做装饰，产生一种宽大袖口的效果，无疑也是受到当时汉族士大夫服装影响的结果。

南北朝至隋唐时期，是汉地佛教艺术发展的最辉煌的时期。云冈石窟、龙门石窟等国内主要大型石窟几乎都是这一时期开凿的。在大型石窟开凿风气盛行的带动下，小型单体造像更为流行。小型单体佛像由于制作简便，又

便于携带，祈祷尤为方便。北魏初期到北魏太和迁都洛阳之前，造像题材较以前有所增多。故宫博物院藏北魏释迦多宝佛和莲花手观音像都是这一时期出现的新题材。造像面庞多为长圆形，双颊饱满，佛像袈裟衣褶尾端分叉等式样都非常流行。禅定佛像双手掌心向上有别于此前手背向外的样式，通体舟形背光流行，而且背光后面多雕刻佛传、佛本生等故事图案。释迦多宝佛为二佛并坐像，与《法华经》在当时社会上广泛流传密切相关。《妙法莲华经》卷四《见宝塔品》有多宝佛在塔中分半座与释迦牟尼的经典。由于此经主张一切众生均能成佛的思想，赢得僧俗的皈依和信仰，释迦多宝佛像就是在这种背景之下产生并在民间流传的。大约在皇兴年间前后，莲花手观音像出现于北方，其造型多为头戴花蔓冠，肩跨帔帛袒露上身，一手执长茎莲蕾，一手提净瓶或握帛带，立于四足趺床上的覆莲座上。由于这种造型的菩萨像均手执长茎莲蕾，又造像记题为观音，故学术界一般称其为莲花手观音像。观音在我国一直广为流传，在长期的信仰过程中其形象也很多，这种莲花手观音像应该是我国比较早出现的一种程式化的像式。大约在东魏时期这种手执长茎莲蕾的观音像式才逐渐被手持杨柳枝的观音像式所取代。手持杨柳枝的观音像式被称为杨柳枝观音，之后一直到唐代都是金铜观音的主要像式。

北魏迁都洛阳之后，由于受到汉族士大夫文化的影响，瘦骨清像和"褒衣博带"式袈裟普遍流行。河北曲阳修德寺遗址、山东青州龙兴寺遗址都出土有大量的这一时期佛教造像，而且传世作品也很多。此时多流行背屏式造像。佛像袈裟宽大、领口低垂，并有意露出系在胸前的宽大长带，即所谓的褒衣博带式袈裟[5]。菩萨帔帛挎肩在腹前交叉绕膝呈双弧形上折的样式非常流行。东魏、西魏与北齐、北周的统治时间都极其短暂，但这一时期造像风气却很盛行，呈现出百花齐放的局面，不论是南梁张僧繇创作的体态奇伟的风格，还是曹仲达衣纹简洁贴体的样式，都能在这一时期的造像中体现出来。同时这一时期保

留下来的造像数量也极其惊人。山东青州龙兴寺遗址出土的东魏、北齐造像数量就很大，河北曲阳修德寺遗址出土的东魏、北齐纪年造像就有上百件之多。造像题材不断翻新也是这一时期的一个显著特点，像单体思维像、杨柳枝观音像、双观音像、双思维像等都产生于这一时期。东魏时期产生一种用双勾阴线表现造像衣纹的做法，到北齐更为普遍。

南朝作品保留下来的相对极少，本卷收入的梁大同三年僧成造弥勒铜造像（新 91870）是一件南朝佛教造像重要的历史遗留物。造像主尊内着僧祇支，外穿袈裟，手施无畏、与愿印，立于覆莲台坐上。从像背刻发愿文"大同三年七月十二日，比丘僧成造珍（弥）勒像一躯"，可知所造主尊为弥勒像。这与北朝流行的手施无畏、与愿印弥勒立像样式基本一致。莲座两侧长茎莲台上各立弟子或菩萨胁侍的样式，在东魏、北齐甚至到隋都很流行。1989 年 12 月四川汶川唐代仁寿寺旧址出土了几件南朝佛教石造像，其中有一件双观音造像，"应是梁晚期的作品，也有可能到了西魏占领成都（553 年）以后的西魏北周时期"[6]。河北曲阳出土的双观音像均为北齐到隋时期的产物，时间上与四川汶川出土的双观音像大致相同或略晚。不同地区的文化互相影响和交融，使得南北造像风格趋于同一性，上述南朝的这两件造像就是很好的例证。但是这种发展变化并不平衡，时间上也并不完全同步。

隋朝统治的时间虽然短暂，但遗留下来的佛像却颇多。随着中央政权的巩固和发展，融会贯通以往各地样式并且不断创新出新的风格特点成为可能。隋代造像普遍来说上身修长，肌肉表现不如唐代造像那样显得突出。隋代有的大型造像艺术形象完美，比例准确，造型生动，雕刻显得十分华丽，背光镂空雕饰繁缛，可以说都达到无以复加的程度，代表了隋朝造像的最高水平。小型单体像，身体多扁平，肩略瘦消，衣纹显得有些厚重，佛像肉髻平缓，菩萨璎珞低垂过膝，保留北齐和北周时期的造像遗风较多。另外，以主尊、弟子、菩萨、供养人、力士、狮子

等组合成一铺的式样，具有时代特点。群像的组合，变化多样，颇富艺术情趣。

唐朝的佛像在初唐时并未完全摆脱隋朝造像风格的影响，随着国力的增强和不断与外来文化的交往，很快就走向成熟，并形成了一种大唐特有的时代风韵，把造像水平推到了历史的最高点，成为新的里程碑。造像人物的个性化和高度的写实性相结合，是唐代造像的总体特征。佛像一般都比较丰满，表情怡然，体态或魁梧奇伟，或雍容大方，佛像一般端坐在束腰须弥座上，台布起伏折叠极富质感，下垂悬裳呈倒山字形，这些都极具时代的典型性。菩萨肩阔腰细，身躯线条优美动人，帔帛多顺体侧向下飘落，项饰、臂环、腕镯等饰物富丽而不烦琐，突出了菩萨曲线的优美，完全是时人审美追求的自然反映。

五代宋辽金时期，禅宗、净土宗、密宗对佛教美术的影响很大，佛教雕塑的那种神圣性和理想性开始减弱，世俗化的倾向越来越浓厚，罗汉、神僧像的供养和崇拜风气开始浓厚。石雕、木雕、泥塑、瓷塑、陶塑、铁铸、砖雕等不同质地需求的各种技法的造像日益兴盛，特别是木雕和泥塑像得到了极大的发展。本书收录的铜鎏金佛坐像（新23150）、铜鎏金菩萨坐像（新188051），制作精美，是辽代造像中的典型作品。山西境内寺院中保留下来的泥塑、木雕造像数量不少，其中大同华严寺的辽代泥塑像雕塑艺术水平极高，内中的佛像或菩萨像造型可与故宫博物院所藏的辽代造像相对照。寺庙内供奉的佛、菩萨、罗汉等木雕造像，利用木材本身的自然特点，寻求材料内在的表现力。雕刻家们因材施艺，量形取材，加以刀刻斧凿，在艺术上达到一种独特的趣味。本卷收藏的一件宋辽时期的木雕观音菩萨像，雕刻极佳，可窥当时木雕造像之一斑。此菩萨头戴宝冠，梳高髻，发辫垂肩，坦上身，下身盖裙，胸饰缨珞，披巾缠绕，右腿支起，右臂舒放于右膝上，左腿盘膝而坐，左手支撑于地。雕刻艺术大师以左手左腿为支点，整个身体稍向左倾，姿态端庄自然。此像虽系木雕，但不见刀痕，圆润一如泥塑，且面容端丽，表

情温存娴静，展现出雕刻家高超的技艺。

这里特别值得一提的是广东韶关南华寺发现的北宋木雕罗汉像。南华寺又称宝林寺，是中国佛教著名寺院之一。由于禅宗六祖惠能曾在此传法40余年，而且惠能真身塑像至今一直供奉在该寺院中，所以成为禅宗的"祖庭"，是禅宗的主要道场。北宋庆历年间，广州市民曾为南华寺捐造了500尊罗汉像，历经千百年的历史风雨磨难，这批罗汉像大多数被幸运保留下来。1918～1919年间，邓尔雅等社会名流游历南华寺时，在罗汉楼中见到这批北宋木雕罗汉像，竟然用刀将一部分罗汉木座上面的宋代款识割取下来带走。故宫博物院收藏的一尊木雕双手抚膝罗汉坐像（新155021）至今保留着款识被盗割取后的痕迹。邓尔雅的行为引起寺院僧人的警觉，为了保护这批珍贵文物免遭破坏，他们悄悄地将其转移隐蔽，并对外宣称木雕罗汉像已被驻军当做劈柴烧掉。到1936年寺僧又趁着新建南华寺大雄宝殿之机，将这些罗汉像包好装进殿内三尊大佛像的肚内。随着时间的尘封，这批罗汉像的下落成为历史之谜。直到1963年由于传说寺庙内藏有电台，无意中才在大雄宝殿内的大佛像脏内发现了这批罗汉像。当时从大佛脏内取出北宋木雕罗汉像341尊，加上此前在寺院功德堂内找到的1尊和在海会塔内找到的18尊，共计360尊。另外还在大雄宝殿大佛像肚内发现清代木雕罗汉像133尊。根据记载，清光绪之前南华寺曾经发生了一场火灾，导致部分罗汉像被毁坏，推测清代雕像应该是那时补雕的。1964年广东省文化局根据文化部文物管理局的文件精神，将其中的50尊北宋木雕罗汉像拨给故宫博物院收藏，另外10尊拨给广东省博物馆，其余造像现在仍留在广东韶关的南华寺中。南华寺宋代木雕罗汉像形象逼真写实，神态生动自若，雕刻技法纯熟，刀法简练，刻画入微，不同罗汉表情各异，无一雷同，几乎都是当时工匠艺人对现实生活观察入微的生动写照。目前所见罗汉身上保留的彩绘，通过取样分析得知，施彩通常不只一层，并且，不同层次的彩绘距离现在的时间也不相同。根

据记载，南华寺木雕罗汉像在历史上曾多次被重新妆彩，正好可与取样分析的结果相对应。故宫博物院收藏的 50 尊宋代木雕罗汉像，均被定为国家一级文物，其中 31 尊罗汉像上面的北宋雕刻铭文仍保留，这些铭文不仅记录下造像雕刻的年代，同时也为我们研究南华寺的历史和广州北宋时期的城坊建设、佛教情况、商业和海外贸易等问题提供了重要的信息资料，具有很高的研究价值。元朝时期由于蒙古贵族崇信喇嘛教，促使具有鲜明特色的藏传佛教雕塑艺术在内地广泛流传，并对明清以来佛教雕塑艺术产生了颇大的影响。藏传佛教广泛吸收了周边各地如印度、尼泊尔、克什米尔和中国内地等不同文化因素，形成独具特色的艺术风格，在当时独树一帜。其造像特点多为蜂腰长身，姿态妩媚，菩萨突出胸部和臀部，人体的自然比例准确，制作精良细腻，充满了朝气。这些无疑给正在走向式微的汉地佛像注入了新的活力。本卷收入的两件带有年款的元代铜造像，一件佛像、一件菩萨像，是元代极为重要的标识器。

明代初期宫廷制作的刻有"大明永乐年施"或"大明宣德年施"款的佛教造像均属于官方铸造。它们或由西藏进贡的造像作为模范，或由来自西藏地区的僧侣、工匠参与创作。这些汉藏艺术有机融合的结晶品，一般都表面洁净优美光亮，金层较厚金色纯正，衣褶自然流畅并显出服装质感，与西藏作品相比较，更加讲究细部刻画，而藏地那种强调凶忿的形象则被明显淡化。明代初期宫廷造像主要作为明朝中央政府赏赐给西藏各个教派川流不息前来朝贡的僧人或者由多次派往西藏的使臣直接带给西藏各地的礼物。故宫博物院收藏的明代初期宫廷造像一部分来自于清宫旧藏，它们多数是藏地僧人作为贡品回流进宫的；另外一些均为 1960 年以前从文物商店挑选出来的精品。这种享有盛名的造像在当时就受到藏人的喜爱，在明清时期仿制作品已经时有发生。永、宣时期的佛教造像虽然基本风格前后一脉相承，但实际上工艺制作水平是有一定区别的。为了提高效率，工匠们往往逐渐把一些不易被人注意的造像细节简化掉，而容易引起人们注意的地方却做得更为夸张和复杂。这种投机取巧的变化使得不同阶段的造像存在着一定的差异性，根据这种差异就可以大致将不同阶段的造像区分出来。

总体而言，明清时期汉地佛像逐渐衰落，但其中也不乏优秀作品出现。本卷收入几件带有年款的作品，虽然可以看出它们或多或少地受到藏传佛教影响，却也反映出这一时期汉地造像制作风貌。另外，明中后期出现的"何朝宗"款观音白瓷像和"石叟"款观音铜像，它们虽然具有不同质地，但外观造型均显得柔软细腻，表现出相互借鉴相互模仿的痕迹，给人一种异曲同工之妙的感觉。除此之外，本卷收入的杨玉璇、周彬、李秀等雕刻艺术家流传下来的田黄、寿山石佛教题材艺术品，也都非常精美。

注释：

1. 金申：《十六国时期的铜佛造像》，《佛教美术丛考》，科学出版社，2004 年。

2. 李静杰主编：《中国金铜佛》，第 234 页。宗教文化出版社，1996 年。

3. 1953 年至 1954 年在河北曲阳修德寺遗址出土了一批白石造像，其中有一件藏于故宫博物院的东魏天平四年（537 年）朝阳村卅人造释迦禅定佛像，此像手印依然手心向内。

4. 见杨泓《试论南北朝前期佛像服饰的主要变化》，《考古》1963 年第 6 期。原文为"把双手拱在胸腹间，手心向内叉合在一起……而一般神仙像却都是作这样的手式，看来佛像的手式也是受这种影响。"

5. 褒衣博带为南朝士大夫的一种装束，领口低垂，露出内系长长带子，而袈裟虽与此不同，但北魏晚期开始流行的一种样式却很接近，巩县礼佛图上有僧装和俗装在一起的图象，可以作为对比。

6. 雷玉华等：《四川汶川出土的南朝佛教石造像》，《文物》2007 年第 6 期。

120. 新 82706 青瓷佛像

<u>三国吴至西晋 / 高 16.5 厘米　宽 10.8 厘米</u>

　　禅定佛肉髻，有白毫，唇上塑有胡须。着通肩袈裟，手施禅定印，结跏趺坐。其外表施釉，但多处剥裂。从塑造技法上分析，此像出自青瓷烧制较为发达的江浙一带。三国吴至西晋时期，南方佛像常与中国传统神祇混合在一起，作为附属装饰，出现在谷仓罐、铜镜等器物上。但此禅定佛像体积较大，似非谷仓罐上的饰件，是我国早期佛教造像的珍品。

121. 新 78806 铜菩萨像

<u>东晋</u>／高 17.5 厘米　宽 8.3 厘米

　　此像铜质含铅量高。菩萨发顶束髻，脑后头发下垂披肩，作绺状。鼻梁高直，眼角细长，留有胡须，接近欧洲人的相貌。上身袒露，胸饰缨珞，斜披宽巾垂至右膝。下着长裙，长裙衣纹繁密细致。双手一上举，一下垂，下垂之手持瓶，足及背光已失。与此类似者在日本京都藤井有邻馆也藏有一件，相传出自陕西三原。公元元年（1 年）前后，佛教及其造像艺术由古代印度传入中国，对中国本土文化和艺术产生了巨大的影响。此像与中国造像在铜质、雕刻手法上有明显差别，属于犍陀罗艺术风格，为外来造像之粉本，是当时中国工匠学习、模仿的范本。陕西是印度佛教造像由西域传至中原的中枢，辐射传播有其特殊的地理、文化优势，后世的一些造像便存有这一痕迹。

122. 新 17040 铜鎏金佛像

十六国 / 高 19.5 厘米 宽 10.5 厘米

佛像高肉髻，宽额，面庞较平，双眼又长
又大，嘴角内收含笑。身披袈裟，衣纹规整，
左右对称，两端缠绕手腕似袖口样。禅定印，
手心向内。结跏趺坐于双狮金刚座上。葫芦
形背光，背光周边错落有致地排列着五尊化
佛，化佛均禅定印跏趺坐于覆莲圆座上。两
侧供养人身着的服饰已经完全是中国传统样
式。人物排列组合繁而不乱。造像采用分铸
套接方法制作，现背光与造像已经锈蚀在一
起，下面的四足趺床仍然可以分开。背光上
面五尊化佛和两位供养人像是通过圆形榫卯
相接。顶端化佛歪向一侧，由于榫头与榫眼
现已锈蚀，不便再扶正。

此像与河北石家庄及甘肃泾川县出土的
两尊十六国时期的佛像进行对照，风格极为
相似，应是同一时代的产物。

123. 新 143956 铜鎏金释迦多宝佛像

北魏太和十三年（489 年）/ 高 14.3 厘米 宽
6.9 厘米

二佛身着通肩式袈裟，纹理细密，施禅定
手印，结跏趺坐姿。此像背光顶端较顿，中上
端雕饰一幔帐式华盖伞，背后雕饰一说法佛。
四足床趺厚重，正面横梁处饰有波纹、几何
纹。趺座镌刻"太和十三年八月十日唐郡人
丘比……父母造多宝像一躯"铭文。二佛并
坐像是受《法华经》传播之影响而产生的一
种像式，在五世纪下半叶至隋开皇时期广为
流行。

124. 新 56640 铜鎏金释迦多宝佛像

北魏太和十三年（489年）/ 高 14.5 厘米　宽 7.2 厘米

　　佛像通体合铸。背光正面二佛并排结跏趺坐，施禅定印。背面浅浮雕佛像结跏趺坐施无畏印。四足趺刊造像记："太和十三年十月廿六日，丘比为父母保成造多保一躯。"此"多保"应为"释迦多宝"之略。此像与太和十三年八月"唐郡"丘比造释迦风格一致，应系河北风格的鎏金铜佛像。

125. 新139957 铜鎏金释迦多宝佛像

<u>北魏太和十六年（492年）/ 高 14.5 厘米　宽</u>
<u>6.6 厘米</u>

　　二佛肉髻均呈半球形状，面形略长。身着通肩式袈裟，手施禅定印，结跏趺坐。此像背光顶端较顿，背后雕饰一说法佛。趺座镌刻"太和十六年四月十二日居庸县人公孙元息为亡母造多保（宝）像一躯供养"铭文。居庸县属东燕州上谷郡，郡治约在今北京市延庆县一带。

126. 新 141914 铜鎏金释迦牟尼佛像

北魏太和十七年（493年）/ 高 11.8 厘米　宽 4.4
厘米

　　佛像通体合铸。佛结跏趺坐在双狮座上，
施无畏印，着右肩半披式袈裟。侧胁侍二菩萨。
背面线刻，佛结跏趺坐在束腰藤座上，施禅定
印。四足趺刊造像记："太和十七年六月十日，
佛弟子口春为口难年等造释迦牟尼像一区。"
这是一尊铸造精致且保存完好的金铜佛像。

127. 新 141888 郭武牺造铜鎏金菩萨像

北魏太和二十三年（499 年）／高 16.5 厘米
宽 6.2 厘米

　　菩萨像通体鎏金。观音头戴冠，椭圆形
面庞，修眉细目，眼角略向上翘、尖鼻。右手
持长茎莲，左手握帔帛一角，帔帛缠绕其袒露
之上身，下着裙、跣足、直立。背靠舟形背光，
火焰纹。背后一侧一供养人手持香花，礼拜
另一侧的释迦牟尼佛。释迦牟尼佛着圆领袈
裟，结跏趺坐，形象高大庄严，与供养人形成
鲜明的对比。像底部为外侈四足座，正面为
二供养人，一男一女，他们是造像的出资者和
供奉者。背面刻有发愿文"太和廿三年五月
廿日，清信士女郭武牺造像一区所愿从心，故
已耳。"太和为北魏孝文帝的年号，廿三年即
公元 499 年，"已"当是"记"或"纪"的俗写。
此类造像为北魏中晚期一种常见的造型，流
行区域在北方的河北、河南一带。这类观音
像对衣纹、衣饰的刻划非常精细、准确，帔
帛的飘逸飞动尤其令人称道。此像曾为尊古
斋主人黄浚收藏。

128．新 42924 王女仁造石佛像

北魏正光元年（520 年）/ 高 89.5 厘米　宽 57.5 厘米

佛身披双层褒衣博带式袈裟，其样式为右侧衣角从胸前垂下再搭在左臂上，内着僧祇支，束帛带。肩部衣纹呈三角形，裙摆两层呈回曲样。佛施无畏与愿印，善跏趺坐束腰须弥座上。背屏上部残，下缘平直。正面雕刻火焰纹，背面有定武时期后刻的发愿文："武定元年九月八日，清信女王女仁兴心造记。父母生存之日，正光元年中造像两区释迦、观音。为国祚永康，三宝长延，兄弟姊妹，亡者归真，现存得福，亲罗蒙润，眷属得济，一切含生，普得善愿，一时成佛"。河北曲阳修德寺遗址出土。

129. 新 39849 邸苟生造石观音像

北魏正光五年（524 年）／高 28.5 厘米　宽 9.5 厘米

　　观音头戴三叶冠，束发，额前留发，眉目清秀，略带笑意。肩披帔帛，下着长裙，稍向外侈。颈系饰物，右手持莲蕾，左手持桃形物，胸平腹鼓，铣足立于双瓣覆莲座上，下为素面基座。舟形火焰纹背光，内刻同心圆头光。衣饰、背光、莲蓬、覆莲均给人厚重之感，显示出曲阳地区早期石造像的特征。将发愿文刻于正面，亦属少见。其发愿文为"武光五年八月八日，邸苟生敬造观音一区，上为皇家永隆，后为七世父母，己身眷属，法界沧生，同齐斯泽，□□待佛时。"北魏时期没有武光年号，其应为正光之误，"区"为"躯"之俗写，"沧"为"苍"之俗写，"待"则为"侍"之误书。河北曲阳石造像绝大多数为民间造像，笔误与俗写恰为其典型特征之一。河北曲阳修德寺遗址出土。

130．新 63071 吴保显造铜鎏金佛像

北魏孝昌三年（527 年）/ 高 19.5 厘米　宽 10 厘米

　　佛跣足立覆莲座上，施无畏与愿印。着通肩式袈裟，袈裟为北魏服制改革以前的旧式。光背后面刊造像记："孝昌三年六月廿六日，清信士佛弟子吴保显一心供养。"六世纪初前后，在河北省中部（含北京市）地区流行与此像类同的旧式袈裟、长椭圆形背光、圆盘式像座的石雕立佛，推测此鎏金铜佛像来自同一区域。

131. 新 42911 王起同造石观音像

<u>北魏真王五年（528 年）／高 29.5 厘米　宽</u>
<u>11.5 厘米</u>

　　观音头戴三叶方梁冠，发髻中分向后挽于冠内，发辫垂于肩。头圆雕，脑后有石柱与头光相连，脸形瘦长，下颌内收。观音右手上举，左手持桃形物。帔帛两端在膝部呈双弧形相交，反折至双臂垂下。菩萨下身着长裙，裙褶简括流畅，略向外撇。赤足立圆形单瓣莲座上。舟形背光正面刻双线为界，外刻火焰纹，内雕莲瓣圆形头光和齿轮状莲瓣身光。背面线刻女供养人像，双手合十，肩部饰圆形卡。悬挂三条飘带，腰挎帔帛，身穿长裙，足蹬云头履。长方形基座右、后两面刻发愿文："真王五年，佛弟子王起同造观音像一区。上为皇帝国主，七世父母，现前居家眷属，边地众生，离苦得乐，行如菩萨，得道成佛。"河北曲阳修德寺遗址出土。

132. 新155100 刘伏保造铜弥勒佛像

北魏永安二年（529年）/ 高 13 厘米　宽 5.5
厘米

　　佛像四足趺的足端被后世改造，光背缺
失。佛跣足立覆莲座上，四足趺刊造像记："永
安二年□□卅日，佛□□刘伏保造弥勒象一
区躯。上为父母，下为吴弟因缘眷蜀，普同安
隐，愿□□心。佛弟子郭平□"。

133. 新 39870 张法姜造石观音像

<u>北魏永熙二年（533年）／高 34.7 厘米 宽</u>
<u>13 厘米</u>

　　观音头戴方形梁冠，脸颊丰满，五官清秀。发辫下垂，双肩各饰圆形发卡，两侧系带从胸前飘下。右手上举握莲蕾，左手下垂持桃形物。帔帛覆肩，两端在膝前交叉后，分别反折向上穿过左右肘垂下。下着裙，跣足立宝装莲圆座上。背光浮雕火焰纹等图案。长方形基座侧后三面刻发愿文："永熙二年十月十六日，赵曹生妻张法姜为妄息眷属含生之类，造观音玉像一躯。故记之。"河北曲阳修德寺遗址出土。

134. 新 140762 泥塑彩绘供养菩萨像

北魏／高 33 厘米　宽 12.5 厘米

　　菩萨像圆形头冠，戴宝冠，五官端庄，神态虔诚。双手合十于胸前，呈单腿跪拜状。甘肃敦煌出土。

135．新 91870 比丘僧成造铜弥勒佛像

南朝梁大同三年（537 年）／高 10.5 厘米　宽 5.4 厘米

　　弥勒佛内着僧祇支，外穿袈裟，手施无畏与愿印，立于覆莲台坐上。左右各一弟子陪侍。火焰纹背光，纹饰细密。背光底部平直，背屏宽大，头光处饰莲瓣。像背刻发愿文："大同三年七月十二日，比丘僧成造珍勒像一躯。""珍"为"弥"之俗写。南朝铜造像发现较少，刻发愿文者更为罕见。此像雕刻细致精美，是研究南朝铜造像的标准器。

136．新 40353 比丘尼惠照造石思惟菩萨像

东魏元象二年（539 年）/ 高 47 厘米　宽 21 厘米

思惟菩萨头戴三叶方形梁冠，宝缯上飘，瘦长脸，圆形头光。右臂弯曲向上，持长茎莲蕾，左手抚足。上身裸露前倾，帔帛覆肩，裙摆双层外侈，浮雕竖道纹褶。半跏趺坐束藤筌蹄座上，左足踩圆形莲座。基座后面刻发愿文："元象二年正月一日，佛弟子比丘尼惠照造思惟玉像一区。上为国主，先亡父母，己身眷属，合家大小，一切有形，同升妙乐。"河北曲阳修德寺遗址出土。

137．新39848 董定姜造石观音像

<u>东魏元象二年（539年）／高28.5厘米　宽</u>
<u>12.2厘米</u>

　　观音头戴方形梁冠，发髻绾于冠内，发辫垂肩。脸形瘦小，面含微笑。上身袒裸，佩戴项饰，肩部圆形卡系飘带。帔帛两端在膝部交叉，上折缠双臂垂下。右手抬起握莲蕾，左手置于胯部。立圆形莲座上。背屏刻圆形头光，内雕莲瓣，外饰火焰纹。方形基座的右、后、左三面刻发愿文："元象二年八月十三日，佛弟子董定姜，自为己身，患除罪灭，无病长寿，来生净国，合家居眷同时离苦，无边众生俱沾解脱，敬造玉观音像一区。诚心供养。"河北曲阳修德寺遗址出土。

138. 新 204674 邸广寿造石思惟菩萨像

东魏兴和二年（540年）/高60厘米 宽26厘米

思惟菩萨头戴三叶冠，发束宝缯，宝缯上扬。面庞略显修长，眉目清秀，含有笑意。右手支颐，左手扶抬起的右腿，坐于筌蹄之上，下为覆莲座。基座上刻发愿文："大伐兴和二年岁在庚申二月乙卯朔廿三日亲丑，清信佛弟子邸广寿仰为亡考，敬造玉思惟一区，愿亡考上生净妙国土，合家眷属常居富利，七世同沾，有形齐润，所愿如是。像主前平乡令邸僧景。"该像姿态优美，雕刻技法娴熟，为东魏佛教艺术佳作。河北曲阳修德寺遗址出土。

139．新42930乐零秀造石观音像

<u>东魏兴和三年（541年）/高27厘米 宽</u>
<u>13.2厘米</u>

　　观音头戴圆形三叶冠，发髻绾于冠内，冠无宝缯。方形脸，眼睛较长，嘴角内收含笑。右手握莲蕾贴在胸前，左手持桃形玉环置于腰部。上身袒裸，佩戴项饰，肩部圆形发卡系两条垂带。帔帛两端穿璧交叉后，又折回原侧手臂处垂下。背屏后装饰插屏座，莲座只在前边雕刻半圈莲瓣。方形基座右后左三面刻发愿文："兴和三年正月廿三日，京上村佛弟子乐零秀敬造观音像一区。上为皇帝陛下，七世先亡，现在眷属，边地含生，等同福愿。"河北曲阳修德寺遗址出土。

140. 新 42931 赵道成造石释迦多宝佛像

<u>东魏兴和三年（541年）/高20厘米 宽18</u>
<u>厘米</u>

　　二佛长圆脸，发髻光素，肉髻较高，均施无畏与愿印。身披双层袈裟，袈裟领口较低，内着僧祇支，僧祇支束帛带。结跏趺坐，右足压在左腿上。袈裟裙摆悬垂于须弥座前。基座前、右、后三面刻发愿文："兴和三年八月廿九日，佛弟子赵道成造多宝像一区，上为皇帝，下为家居眷属，逢苌破忘，合同此愿。"河北曲阳修德寺遗址出土。

141. 新40058 李晦等造石弥勒佛像

东魏兴和三年（541年）/ 高 44.6 厘米

　　弥勒佛光素肉髻，眼窝微凹、嘴角内收、面带微笑，相貌慈祥。内着束带僧衹支，外披双领下垂式袈裟，用双线勾勒衣纹。施无畏与愿印。赤足立圆形莲座上，莲座只在前部雕刻宝装莲瓣。背屏正面浮雕圆形莲瓣头光，背面插屏座呈半圆形。长方形基座右、后两面刻发愿文："大魏兴和三年十一月廿五日，上曲阳县人李晦妻王丰姬，为亡息李景珍敬造弥勒像一区。上为国家，后为七世父母，居眷大小，亡过现存，边地众生，一时成佛。"河北曲阳修德寺遗址出土。

142. 新 42897 邸月光造石观音菩萨像

东魏兴和四年（542年）/ 高 26.8 厘米

　　观音头戴方形梁冠，发髻绾于冠内，发辫系圆形发卡垂肩。上身袒裸，佩戴项饰。帔帛两端在膝部交叉，上折缠双臂垂下。右手抬起握莲蕾，左手在下持桃形玉环。背屏刻同心圆头光，外饰火焰纹。圆形像座雕刻宝装莲瓣，方形基座的右、后、左三面刻发愿文："口和四年五月十五日，清信仕佛弟子邸月光中初蒙愿，造请观音像一区。上为皇帝陛下，后为七世先亡，下至父母己身眷属，普口一切，同登洛妙，三会初口，所愿如是"。河北曲阳修德寺遗址出土。

143. 新 39875 石菩萨像

<u>东魏 / 高 36.5 厘米</u>

　　菩萨头戴圆形冠，发髻绾于冠内。发辫垂肩。上身袒裸，佩戴项饰。帔帛两端在膝部交叉，上折缠双臂垂下。右手抬起握莲蕾，左手置于胯部。裙摆外侈，足穿鞋，立圆形莲座上。背屏光素，下为方形基座。河北曲阳修德寺遗址出土。

144. 新 42900 郭元宾造石菩萨像

东魏武定三年（545 年）/ 高 47.5 厘米　宽 18 厘米

　　菩萨头戴三叶花蔓冠，内着僧祇支，披帔帛，手持莲蕾与桃形物。赤足立圆座上，圆座周圈满刻莲瓣。基座正面为化生童子托举香炉，外侧为狮子，狮子脊部雕刻莲花，形式颇为新颖。整体以线刻为主，间用浮雕方法，二者结合巧妙，有剪影的效果。后面刻发愿文："武定三年十月五日，佛弟子郭元宾为父前妻造玉像一区，高尺七。亡者生天，现在得富，弥勒三会，一时成佛。"河北曲阳修德寺遗址出土。

145. 新 39942 张同柱造石释迦多宝佛像

东魏武定五年（547 年）/ 高 44.2 厘米　宽 24 厘米

此为二佛并坐像，大舟形背光，正面二佛均结跏趺坐，施无畏与愿印，着双领下垂式袈裟。佛像的头部、双手以及袈裟皱褶都清楚地表现出来。背光后面刊造像记："大巍武定五年七月二日，高门村张同柱、张银瓮、张腾等造白玉像一躯，为七世先亡，后为一切众生，离苦得乐"。整体造像精工细制，是定州系石佛像中的优秀作品。曲阳东魏时期的二佛并坐像应为释迦多宝佛。释迦多宝佛是《法华经》或大乘佛法的象征，《法华经》中的释迦多宝内容直接影响了这一时期造像的题材。《妙法莲花经》卷四《见宝塔品》载："尔时佛前有七宝塔，高五百由旬，纵广二百五十由旬，从地涌出，住在空中……尔时宝塔中出大音声叹言：'善哉善哉，释迦牟尼世尊能以平等大慧教菩萨法。佛所护念妙法莲花经为大众说，如是如是。释迦牟尼世尊如所说者，皆是真实。'尔时佛告大乐说菩萨，此宝塔中有如来全身，乃往过去东方无量千万亿阿僧祇世界，国名宝净，彼中有佛，号曰多宝。其佛行菩萨道时作誓愿：'若我成佛灭度之后，于十方国土，有说《法华经》处，我之塔庙为听是经，故涌现其前，为作证明，赞言善哉'……于是释迦牟尼佛以右指开七宝塔户……尔时多宝佛于宝塔中分半座与释迦牟尼佛，而作誓言：'释迦牟尼佛，可就此座。'即时释迦牟尼佛入其塔中，坐其半座，结跏趺坐。"此经应即为释迦多宝佛像的典出依据。河北曲阳修德寺遗址出土。

146．新 39882 马仵兴造石观音像

<u>东魏武定七年（549 年）/高 36.8 厘米 宽</u>
<u>15 厘米</u>

　　观音头戴三叶宝冠，长圆脸，五官雕凿
的较为简单，眉骨中间阴刻细线。内着僧祇支，
胸佩项饰，肩挎穿璧式帔帛。右手上举持莲
蕾，左手下垂握桃形物。僧祇支长裙装饰双
刻阴线。背屏光素，背面饰半圆形插座。长
方形基座四面刻发愿文："武定七年七月甲寅
朔十七日，佛弟子马仵兴，为见存父忘母造观
音像一躯。愿忘母常在佛侧，所求如意。"河
北曲阳修德寺遗址出土。

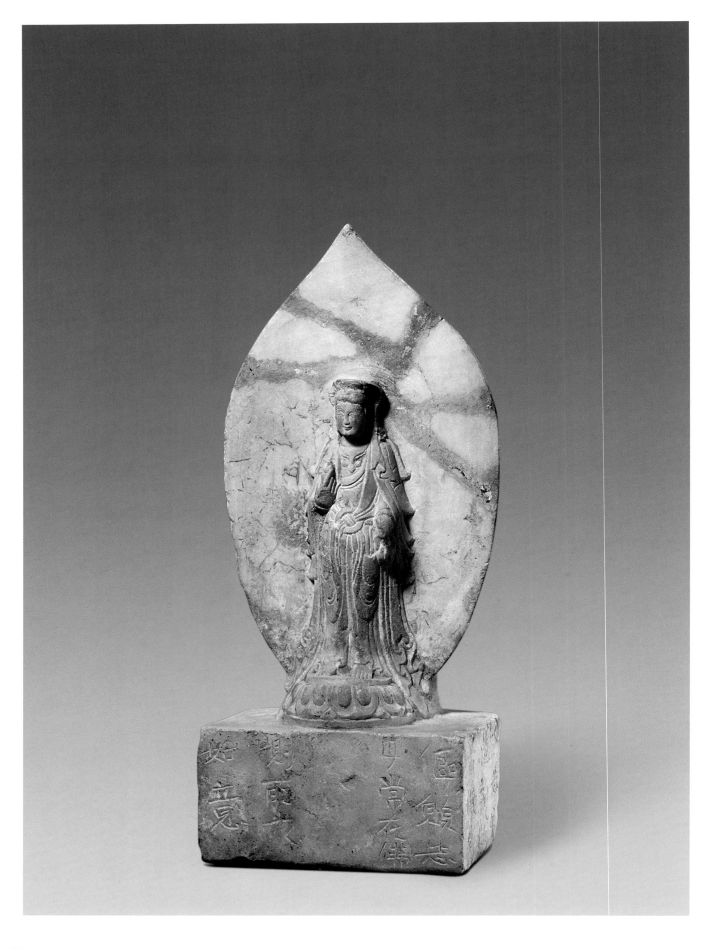

147. 新 42912 张双卧造弥勒菩萨像

<u>北齐天保二年（551年）／高47.5厘米 宽 22.5厘米。</u>

　　弥勒菩萨头戴三叶冠，系宝缯，身着袒胸衣，肩披帔帛，下垂至座。项下饰物，左手施与愿印，右手持莲苞状物。双脚相交，坐于简化的覆莲座上，下有二帝释天相托。素面背光，底为素面长方形基座。基座刻发愿文："天保二年五月一日，清信士女佛弟子张双卧为亡夫杨早造弥勒下生像一区，举高尺八，愿使亡夫舍秽讬生，得妙净果，并及眷属，居得常乐。"弥勒菩萨是佛教造像中的主要神祇之一，以交脚菩萨装形象出现多集中在敦煌莫高窟、云冈石窟、龙门石窟等大型石窟中，多属北魏时期。但在河北定州一带，北魏时期出土的却较少。直至北齐时期，才成为造像的主要题材之一。它反映出河北定州地区弥勒信仰的独特性。河北曲阳修德寺遗址出土。

148. 新 44943 乐妙香造石思惟菩萨像

北齐天保二年（551年）/高60厘米　宽27厘米

　　思惟菩萨圆形头光，头戴三叶冠，宝缯自耳部下垂至肩，眉目清秀，表情温和、面庞已从长方形向圆形过渡。下裙底边由方折变为弧线，更多地使用阴线双钩，衣纹刻划渐趋简化，给人淳朴自然之感。基座素面，依然留存了东魏元象、兴和时期的遗风。基座背面刻发愿文："天保二年四月廿五日，卢奴县人乐妙香敬造白玉像一区，上为皇帝陛下、乳海大王，后为亡夫、亡者男女并及己身、现在眷属，伏为二途地狱，离苦得乐，愿法界众生，一时作佛。""乳海大王"应是"渤海大王"之误写。据《北齐书·卷一》记载，北魏普泰二年，高欢"废节闵及中兴主而立孝武。孝武既即位，授神武（高欢）大丞相、天柱大将军、太师、世袭定州刺史，增封并前十五万户"。后又封为渤海王。自东魏开始，权利的中心已从元魏移至高氏家族，皇帝成为傀儡，人们心目中只有大丞相、渤海王。民国初年定州出土东魏武定元年（543年）高归彦造像，便有为大丞相、渤海王祈福等内容。天保二年是北齐立国第二年，为高欢造像，更是名正言顺。其行为不仅出现在王室皇族中，在平民百姓中亦然，此颇能反映出高氏一族在定州之影响力。称高欢为渤海大王而不称其为神武皇帝，应是东魏时期习惯称呼的延续。河北曲阳修德寺遗址出土。

149. 新 42243 李神景等造石无量寿佛像

北齐天保六年（555 年）／高 27 厘米　宽 27 厘米

佛头已失，身穿垂领式袈裟，衣纹起伏自然，线条流畅，下摆处叠褶，结跏趺坐于须弥座上。两侧龙树、胁侍与须弥座上的供养人残缺。基座上刻有化生童子、博山炉、狮子、力士。基座背后刻发愿文："天保六年正月廿三日，上曲阳县人李神景兄弟等，仰为皇帝陛下、亡父母敬造白玉无量寿像一区并二菩萨，愿使亡父母舍此身己，往生西方极乐世界，又愿法界众生，居眷大小，远离苦津，速登正觉。"河北曲阳修德寺遗址出土。

150. 新 40350 韩子思造石思惟菩萨像

<u>北齐天保七年（556 年）/ 高 36.5 厘米　宽 19 厘米</u>

　　思惟菩萨头戴冠，额前系缯带，缯带飘至肩部。右腿上抬，半跏趺坐于筌蹄上。足下为小莲台。基座正面二童子托举博山炉，向外依次为狮子、力士。侧面各有神王两尊。基座后面刻有发愿文："天保七年四月八日，韩子思仰为亡父母，敬造白玉思唯象一区。"该像虽有残缺，但造像衣饰简洁、线条流畅，不失为北齐思惟菩萨像中的佳作。河北曲阳修德寺遗址出土。

151. 新 40059 张延造石思惟菩萨像

<u>北齐天保八年（557 年）/ 高 47 厘米　宽 29 厘米</u>

　　菩萨圆形脸，戴花蔓冠，圆形头光。肩挎帔帛，帔帛两端垂至基座。右臂向上，左手抱足踝，左舒相坐。裙摆逐渐内收，雕刻竖道纹饰，腿部阴刻双线衣纹。筌蹄座下铺垫圆形垫，左足踏突起圆形莲台。菩提树背屏，树干缠龙，龙头向上口吐莲花童子，树冠镂空雕刻扇形树叶，有飞天穿绕其间。基座正面雕刻童子托博山炉、护法狮和力士像，后面刻发愿文："大齐天保八年岁次丁丑七月戊戌朔廿日丁巳，曲阳县人张延为亡妻陈外香造白玉思惟像一区。愿令亡妻长辞四生，永绝六趣，转报女身，道成圣果。又愿己身，居眷大小，龙华之期，一时悟道"。河北曲阳修德寺遗址出土。

152．新 40064 刘氏家族造石思惟菩萨像

北齐 / 高 44.5 厘米　宽 34.3 厘米

　　思惟菩萨头戴花蔓冠，修眉细目，面部
丰腴。右手抚颐，右腿抬起，左腿下垂。左右
雕刻龙、双树及二胁侍，均残缺，尊像底部基
座四面刻有图像。正面有狮子、力士、供养
人，两侧为神王、伎乐等。此像内涵丰富，构
图有序，为单体造像所罕见。河北曲阳修德
寺遗址出土。

153．新 42909 刘仰造石观音像

<u>北齐太宁二年（562年）／高54厘米 宽26</u>
厘米

　　观音直立莲花台座上，双手一持桃形物，一持莲苞，左右对称。舟形背光，上部浮雕双飞天托宝塔形象。基座正面中央童子托博山炉，向外依次为双狮、力士。基座侧面刻有"太宁二年二月八日，珍妻刘仰为忘夫敬造白玉双观音像一区，并及己身，无病长受，所愿如是"发愿文。河北曲阳修德寺遗址出土。

北齐太宁二年（562 年）/ 高 33.5 厘米　宽 34 厘米

　　释迦、多宝佛均为一手施禅定印，一手上扬，结跏趺坐，下为长方形向内收束的须弥座。基座中间为二地神托举博山炉。其旁为婆薮仙和鹿头梵志，持骷髅的鹿头梵志居右，持鸟的婆薮仙居左。外侧为狮子和力士。基座背面刻发愿文。婆薮仙也称"婆薮天"，鹿头梵志也称"骷髅仙"，他们原为婆罗门教外道，后皈依释迦牟尼，出家学道，成阿罗汉，为佛教护法神之一。曲阳地区石造像中鹿头梵志与婆薮仙，为汉人穿胡服形象，多与释迦、多宝及思惟菩萨等组合出现。河北曲阳修德寺遗址出土。

155. 新 39920 吴子汉造石菩萨像

北齐太宁二年（562 年）/ 高 31.6 厘米 宽 16.5 厘米

双菩萨头戴三叶花蔓冠，身披圆璧式帔帛，均右手持莲蕾，左手握桃形物，立圆形莲座上。背屏光素，背面雕半圆形插屏座。长方形基座的右、后、左三面刻发愿文："太宁二年五月十五日，佛弟吴子汉为忘父造白玉像一区。愿赐考与佛同会。"河北曲阳修德寺遗址出土。

156．新 42886 张藉生造石菩萨像

北齐天统四年（568 年）／高 36.5 厘米　宽 18
厘米

　　二菩萨头戴三叶宝冠，宝缯垂肩，肩挎
帔帛。帔帛两端从身体两侧下垂，右手均握
莲蕾，左手持桃形物，立单瓣覆莲圆座上。莲
瓣形背屏，顶部浮雕二飞天托博山炉，背面雕
桃形插屏座。长方形基座正面雕博山炉和二
护法狮。右、后两面刻发愿文："天统四年正
月廿三日，佛弟子张藉生为亡息霍宗敬造白
玉像一区。上为国王、下及编地，后为亡过见
在，俱时成佛。"河北曲阳修德寺遗址出土。

157. 新 40070 赵田姜造石佛像

<u>北齐武平四年（573 年）/ 高 25.4 厘米　宽</u>
<u>26 厘米</u>

佛头圆形，身披袒右式袈裟，衣褶简洁，结跏趺坐于镂空尖拱额龛中。袈裟下摆平铺圆座上。龙树两侧为胁侍弟子和菩萨，菩萨大部分已经残缺。基座前雕刻博山炉、护法狮和力士像。右后两面刻发愿文："大齐武平四年七月廿三日，佛弟子赵田姜敬造玉像一区。上为皇帝陛下，七世先亡，过去父母，兄弟姊妹，见存男女，居眷大小，一时成佛。"河北曲阳修德寺遗址出土。

158. 新39881 比丘尼惠善造石观音像

<u>北齐武平五年（574年）/ 高 30 厘米　宽 13</u>
<u>厘米</u>

　　菩萨头戴花蔓冠，身披结纽式帔帛。右
手上举持莲蕾，左手下垂提桃形物。背屏光素，
背面底部雕圆形插座。基座三面刻发愿文："武
平五年三月十日，张市寺尼惠善为亡父敬造
伯玉观意像一区。愿使亡者生天，见在母子，
生生世世，直佛问法。"河北曲阳修德寺遗址
出土。

159. 新 42884 王合造石释迦牟尼佛像

<u>北齐武平六年（575年）/ 高 34.7 厘米　宽</u>
<u>21 厘米</u>

　　佛圆形脸，下颌略上翘，体量饱满。身披
圆垂领式袈裟，双手叠加，手心向内施禅定印，
结跏趺坐于须弥座上，衣摆呈三圆弧形平铺
座上。二方柱支撑尖拱眉佛龛，龛后刻发愿文：
"武平六年十一月廿日，仏弟子王合父为亡女
敬造白玉世家像一躯。家居成佛"。河北曲
阳修德寺遗址出土。

160. 新 42891 邸元颖造北齐石观音像

<u>北齐 / 高 33.5 厘米　宽 16 厘米</u>

此尊双观音菩萨像，素面大舟形背光，二菩萨均跣足立于覆莲圆座上。头戴三叶式花冠，缯带垂坠于头两侧。手势构图对称，内侧手执莲蕾贴在胸前，外侧手提桃形物置于腰部一侧。帛带两端在腹前穿璧交叉后下垂，又分别反折向上穿过左右肘，顺体侧垂下。长方形基座正面采用高浮雕形式，两侧为护法狮，中间为博山炉。背面刊刻造像记："邸元颖为亡妣造双观世音象一区"。二菩萨造型恬淡细腻，端直婉丽，具有北齐时期作品的典型风格。双观音菩萨像在定州系石佛像中是十分流行的一种造型。这种造型出现于北齐中期，盛行于北齐晚期至隋。河北曲阳修德寺遗址出土。

161. 新 141886 铜鎏金菩萨像

北齐 / 高 20 厘米　宽 9.1 厘米

　　菩萨头戴花蔓冠，手施无畏与愿印。身披帔帛，帔帛宽大，左右在腹前交叉，绕膝向上缠臂下垂。下着长裙，跣足立莲台上。莲台两侧出长茎莲蓬，左右胁侍菩萨立在上面。火焰背光顶部细长，中间用一组莲瓣组成头光，背光背面刻莲花。四足跌床瘦长。

162．新 117571 常聪造铜鎏金杨枝观音像

隋开皇三年（583 年）/ 高 18.5 厘米　宽 6.7
厘米

　　此像躯尊与趺座合铸为一体，头光缺失，
像身鎏金多已剥落。观音跣足立于圆形莲花
座上，头戴花冠，缯带坠垂，俯面下视，表情
庄严端肃。左手持净水瓶，右手执杨柳枝。
趺座刊造像记："开皇三年岁次癸卯九月八日，
佛弟子常聪为息明汪敬造官观音像一区躯。"
这是一尊比较罕见且造型精致的隋代杨柳观
音像。杨柳观音，以杨柳枝沾取瓶中甘露水，
拂洒人间，消除众生的烦恼垢浊，这种杨柳观
音的形象在中国广为流传。"杨枝净水"成了
观音化身的一种形象，为民间所熟悉。印度
民间很早就有以某种植物的枝条净齿的习俗，
这些枝条被称作"齿木"。在汉译佛经中，"齿
木"往往被译作"杨枝"。《华严经·净行品》
称："手执杨枝，当愿众生，皆得妙法，究竟清
净。"又称："嚼杨枝时，当愿众生，其心调净，
噬诸烦恼。"杨枝是古代僧人必备的除垢洁齿
之物，所以佛门中常常把它作为涤除尘垢烦
恼，使心地清净的象征。

163. 新 42950 张波造石弥勒佛像

隋开皇五年（585 年）/ 高 24 厘米　宽 16.5 厘米

主尊头圆形，肉髻轮廓线不分明，身披圆垂领式袈裟，施无畏与愿印，立双瓣莲座。二胁侍菩萨头戴宝冠，披结纽式帔帛，一手持莲蕾，一手握桃形物，赤足立圆形莲台上。背屏光素，背面雕插屏座。长方形基座前面雕护法狮、童子托博山炉，右、后两面刻发愿文："开皇五年七月廿七日，为忘息张文学敬造弥勒像一区。张波为息"。河北曲阳修德寺遗址出土。

164. 新 39909 张茂仁造石阿弥陀佛像

<u>隋开皇十一年（591 年）／高 30.3 厘米　宽</u>
<u>14.5 厘米</u>

　　主尊佛像长圆脸，圆形肉髻、肉髻轮廓
线清晰。身披双层袈裟，内着僧祇支。上衣
着袒右式袈裟，中衣覆右肩顺体侧直垂而下。
施无畏与愿印，赤足立圆形莲座上。背屏顶
部较尖，下部内收，两侧露出背面插屏座。二
胁侍弟子，内着偏衫，外披袒右式袈裟，双手
合十直立。长方形基座后面刻发愿文："开皇
十一年二月八日，佛弟子张茂仁为亡父母敬
造白玉弥陀像一区。七世先亡，现存眷属，一
时作佛。"河北曲阳修德寺遗址出土。

165. 新 39837 邸善护造石观音像

隋开皇十七年（597 年）/ 高 24.3 厘米　宽
10.8 厘米

菩萨昂首挺胸，头戴花蔓冠，身披上下
双弧形帔帛。右手上举持莲蕾，左手下垂握
桃形物，赤足立圆形莲座上。背屏后有半圆
形插屏座。基座右、后、左三面刻发愿文："开
皇十七年三月十五日，佛弟子邸善护，自为己
身敬造观世音象一区。普为一切众生，皆登
正觉。"河北曲阳修德寺遗址出土。

166. 新 39945 雷买造石思惟菩萨像

隋仁寿二年（602 年）/ 高 43 厘米　宽 26.3
厘米

二菩萨头戴三叶花蔓冠，头光相连，长
圆脸，长眉细眼，高鼻梁，相貌沉静自然。一
手支颐，一手抱足踝，半跏趺坐，一足踏莲台，
左右对称。两侧立胁侍弟子。基座前面雕刻
手托博山炉的化生童子、护法狮和力士像，
背面刻发愿文："仁寿二年五月廿四日，佛弟
子雷买为亡父母敬造白玉像一区。上为皇帝
及众生得□离苦"。河北曲阳修德寺遗址出土。

167. 新 39944 杜善才造石思惟菩萨像

隋大业二年（606年）/ 高 43 厘米 宽 27 厘米

二菩萨戴三叶花蔓冠，长圆脸，半跏趺坐，左右对称。上身裸露，帛带垂座，双臂以上不作雕刻交代。两侧立胁侍弟子。基座正面开光，内雕博山炉和护法狮。背面刻发愿文："大业二年七月八日，杜善才为亡父母敬造玉象一区。上为皇帝，下为法戒，居登彼岸。"河北曲阳修德寺遗址出土。

168. 新 54854 王莫造铜鎏金佛像

<u>隋大业五年（609年）/ 高 18.5 厘米　宽 9</u>
厘米

　　佛外披袈裟，内着僧祇支。右手说法印，左手抚膝，结跏趺坐。镂空火焰纹背光，左右二胁侍弟子。束腰仰覆莲座置四足趺床上。趺床上有插孔，原插件已失。背面刻发愿文："大业五年八月三日，佛弟子王莫囗为亡父敬造金像一区。"

169. 新 40403 石佛像

隋 / 高 100 厘米　宽 30 厘米

　　佛身披圆垂领袈裟，内着僧祇支。衣褶
轻薄贴体，胴体饱满厚实。双手残，赤足立锥
形圆座上。河北曲阳修德寺遗址出土。

170. 新 42915 石菩萨像

<u>隋 / 高 29.7 厘米　宽 13.5 厘米</u>

　　主尊菩萨头戴宝冠，脸庞丰满。身披上
下弧形帔帛，佩戴项饰，身挂长璎珞。右手握
莲蕾，左手持桃形物。下身着裙，赤足立圆
座上。圆座两侧出长茎莲台，上分别立男女
持物供养人。背屏光素，背后下缘雕插屏座。
基座正面两边雕尖楣方龛，有弟子坐禅其中，
中间雕刻莲花。河北曲阳修德寺遗址出土。

171. 新 40371 石菩萨像

隋／高 77 厘米　宽 23.5 厘米

　　菩萨身披结纽式帔帛，帔帛下端折成锐
角上翻。佩戴"X"形圆璧璎珞，圆璧用串珠
与锁佩相连，下挂三组长短串珠流苏，显得十
分华丽。下身着裙，裙腰外翻，赤足立圆座上，
圆座下呈锥形。河北曲阳修德寺遗址出土。

172. 新141797 弥姐训造铜鎏金观音像

唐武德六年（623年）/ 高17.5厘米 宽5.1厘米

观音像通体鎏金，阴线錾刻火焰纹。桃形头光，着长裙，手持杨柳枝与净瓶，立于覆莲圆座上。圆座下为方形四足座，座上镌铭："武德六年四月八日正信佛弟子弥姐训为亡子炽造观音菩萨一区及为合家大小普同愿造"。理解此像的关键有两点：第一，观音菩萨为男性形象。此像与敦煌莫高窟隋代观音像具有一致性，它表明此时观音尚保持着印度原有的宗教内涵，并没有完全中国化和世俗化。第二，纪年铭文的重要性。魏晋至隋，在金铜佛像上铸造发愿文标明纪年屡见不鲜，皆为惯例。入唐以后，有发愿文者顿减，具纪年发愿文者更少，具武德铭者尤为罕见。此造像不仅为我们研究唐初金铜佛像提供了时代标准，也为我们研究当时的造像习俗提供了资料。

173. 新 42916 比丘尼张惠造石释迦多宝佛像

唐显庆二年（657年）/ 高 39 厘米 宽 26 厘米

释迦多宝佛螺髻，面庞圆润，眉目清秀，双耳下垂。双手一施无畏印，一下垂扶膝。身着袈裟，结跏趺坐于长方形须弥座上。须弥座底部较高，中间束腰狭促，上部为仰莲，下部为双瓣覆莲，四角有小柱，后面与背屏连为一体。背光后刻发愿文云："显庆二年六月八日，比丘尼张惠观奉为皇帝及师僧父母，法界含灵，敬造多宝、释迦像二躯，虔心供养。比丘尼孙皆念供养。观门徒惠藏、惠常等供养。"河北曲阳修德寺遗址出土。

174. 新 40863 刘三娘等造石双阿弥陀佛像

唐开元十年（722年）/ 高 36 厘米 宽 41 厘米

佛头已失，阿弥陀佛内穿僧祇支，胸系带，外着袈裟，结跏趺坐。双手一上扬，一下垂扶膝，身躯结实，丰润饱满，线刻衣饰被圆雕所取代。长方形须弥座，束腰部分为两根六棱柱，柱正面中心各雕刻一朵莲花，四角及中部共有 6 个力士扛托像座。座上为仰莲，下部素面。前面刻发愿文为"开元十年正月廿三日，刘三娘、妹五娘、嫂郭，为亡过父母、七代先亡，敬造玉石双身弥陀像一区，合家供养佛时。"河北曲阳 1953 年至 1954 年所出唐朝纪年造像共 10 件，目前所知有 7 件发愿文是凿刻在像座正面的，这是因为唐以前造像基座以长方形（方形）为主，正面造像多刻绘护法力士、狮子、化生童子托举博山炉等，发愿文自然要退到两侧及后面。唐朝造像，束腰须弥座成为主流，因束腰须弥座本身形状的制约，使得其失去了雕刻护法题材的空间，将发愿文移至正面，成为当时工匠的自然选择。河北曲阳修德寺遗址出土。

175. 新 72880 铜鎏金释迦牟尼佛像

唐 / 高 15 厘米　宽 5.2 厘米

　　释迦牟尼佛右手说法印，左手抚膝，结跏
趺坐。身着袒右式袈裟，袈裟下垂呈倒山字形。
束腰须弥高座置方形壶门趺床上。床前有插
孔二，惜插件已丢失。

176. 新99109 铜鎏金释迦牟尼佛像

<u>唐／高 15.4 厘米　宽 5.3 厘米</u>

　　释迦牟尼佛右手说法印，左手抚膝，结跏趺坐。身着袈裟，袈裟下垂呈倒山字形。桃形镂空头光。束腰须弥座置方形壶门趺床上。佛前立一弟子，身着袈裟，双手合十。

177. 新 17042 铜鎏金杨枝观音像

<u>唐 / 高 19.3 厘米 宽 6.2 厘米</u>

　　观音像镂空火焰头光，头戴宝冠，束冠宝缯在冠侧结成花形，一端长长垂下。斜挎璎珞，帔帛缠臂从体侧呈波浪状飘落至足下莲座。莲座置方形壶门趺床上。

唐／高 19.5 厘米　宽 6.3 厘米

　　地藏菩萨像的各个部件分铸后组合在一
起。半跏趺坐于莲蓬上，作比丘形，右手擎摩
尼宝珠，着袒右式袈裟。推测为初唐至盛唐
之际关中地区作品。

179. 新 40159 石菩萨像

<u>唐 / 高 33.8 厘米 宽 14 厘米</u>

　　菩萨头、臂残缺，颈刻三道。上身祖裸，装饰璎珞，斜披络腋，胸腹肌肉饱满。下穿长裙，紧裹双腿，高裙腰外翻，装饰数组圆弧纹，有璎珞帔帛缠绕其间。菩萨呈丁字步站立，向右出胯，重心落在右腿上，身体屈曲，线条优美。河北曲阳修德寺遗址出土。

180. 新 80298 石比丘像

<u>唐 / 高 50.5 厘米 宽 30.5 厘米</u>

　　比丘相貌质朴，表情恭敬。头微低，目光落在手持玻璃样器皿上。侧身跪姿，做虔诚礼佛状。比丘像只有表面看到的半片，原是某石窟中的高浮雕作品。

181. 新 23150 铜鎏金佛像

辽 / 高 20.6 厘米　宽 11.7 厘米

　　兴起于辽河的契丹族在同中原地区的征
战中将佛教传回。在军事上,辽虽屡胜宋,但
在文化上却尊宋,契丹的文化艺术,唯汉族是
瞻。辽代造像在唐代基础上吸收了北宋的元
素,获得很大发展并形成自己的特点。此佛
像端严肃穆,慈心法相,于莲花座上结跏趺坐。
右手前举,手指微屈似说法状,左手置于腹前。
螺髻宽矮,中央饰一髻珠,面作椭圆形,与内
蒙古宁城大名城辽应历七年(957 年)石刻
佛像大体一致。耳阔长垂,身着双领垂肩式
袈裟,纹理清晰,线条流畅。胸部袒露较多且
有隆起感,继承了唐代特征,而肩量较窄略显
溜肩又有别于唐代造像。束腰座的莲瓣宽厚
而舒朗,为典型辽代造像特征。此像造型优美,
铸造精良,是一尊难得的辽代铜鎏金佛像,可
能铸造于辽中京(宁城)或上京(巴林左旗)
地方。

182. 新 74472 铜鎏金观音像

辽太平二年（1022 年）/ 高 14.5 厘米 宽 9.5 厘米

观音披发，发梢卷曲，头戴箍形冠，冠前塑有化佛。圆形扁平脸庞，双目微睁，面含微笑。身着领口低垂式袈裟，露出束带裙腰。禅定印，跏趺坐。像背刻发愿文："太平二年二月十九日，佛弟子陶善为母敬造观世音象一区，眷属人口供养。"此像虽与常见观音像差别较大，不过造像顶部化佛可作为观音的标志，这一点正好与发愿文相符。造像头发、眉毛、胡须均卷曲，明显带有西域少数民族特征。而面庞扁平、略圆又与汉人脸形接近。辽代贵族有与西域胡人通婚的习俗，此像或许是照着某个混血贵族的面容铸造的。

183. 新 188051 铜鎏金观音像

辽 / 高 18.2 厘米　宽 11.2 厘米

　　此像座与右手缺失。菩萨游戏坐，采用
了典型水月观音式坐姿，面形圆润作冥想状。
上身多袒露并表现出较强的弹性感，下身着
裙。头戴筒形高冠，中央饰阿弥陀佛像，身上
挂天衣、璎珞。筒形高冠的式样与大同下华
严寺辽重熙七年（1038 年）菩萨像约略相同，
为典型辽代式样。此像造型为女相，自然优美，
代表了唐以后金铜佛像造型的最高水平。该
像出土于河北省围场县，靠近宁城，可能铸造
于宁城所在的辽中京地方。中国民间神灵崇
拜中最普遍的要属观音菩萨，甚至出现过"户
户有观音"的景象。这说明观音信仰在中国
社会的深远影响。早期的观音作品都作男相
打扮，南北朝末期以后，中国的观音开始变成
女相，唐代女相大增，宋代以后女相观音已成
定式。女相观音是纯粹中国化的观音造型。

184. 新 106960 铜鎏金菩萨像

<u>辽 / 高 13.2 厘米　宽 6 厘米</u>

　　菩萨高挽发髻，头戴宝冠，系冠宝缯顺肩下垂近座。圆形脸，面容丰满，五官雕刻清晰。身搭宽大帔帛，袒胸挂璎珞，胸部肌肉发达。双手拇指与中指成环置腹前，结说法印（又称转法轮印）。菩萨下身裹裳，跣足。左舒相坐双层仰莲花上，左脚踏出茎莲台。双层莲花瓣左右相措，下为圆形束腰台座，束腰开光呈镂空状。菩萨全身鎏金保持完好，做工精良，是难得的佳品。此像的发型冠式、胸肌以及莲座和开光镂空台座等都是辽代佛像的典型式样。

185. 新98837 铜鎏金菩萨像

<u>辽 / 高 13.8 厘米 宽 3.7 厘米</u>

    菩萨头戴高冠，外披巾，顶有化佛。圆形脸，五官端庄。双手捧莲蕾，跣足而立。双联扁莲坐垫于足下，置四方镂空台座上。

186. 新 62613 木雕彩绘大势至菩萨头像

<u>辽／高 55 厘米　宽 34 厘米</u>

　　菩萨头像颈下保留着从躯体上锯下的痕迹。头戴三叶式云纹冠，前面叶上饰有作为大势至菩萨标志的宝瓶。菩萨面形方圆，五官比较集中，与山西辽代菩萨像造型接近。这是一尊不可多得的辽代大型木雕作品。

187. 新 155030 郝璋造木雕彩绘罗汉像

北宋庆历七年（1047年）/ 高57厘米　宽22厘米

　　宋人崇拜与热衷禅学，对罗汉的高尚道德及济世怜贫、超尘脱俗、无拘无束、无敌无畏的精神十分敬仰与偏爱。使得罗汉在宋代成为佛教艺术创作的重要题材。此像两手缺失，半跏趺坐，作闭目静心状。面长圆，耳长垂。身穿交领宽袖僧衣，纹理疏密得当，起伏平缓。座前刊造像记："广州弟子郝璋雕造尊者，南华供养，为男和尚保安吉。九月丁亥造"。由于罗汉尚未成佛，因而他们有较多的人性，故在塑像上是以现实人物为原形。宋代罗汉像一改唐人谨严整式的风格，而以疏简明快的创作手法，潇洒自如、随心所欲地表现出来，充分体现出禅的意味。宋代罗汉像往往表现出人物的自然姿态，注重写实，能刻画人物的内在性格。

188. 新 155011 吴世质造木雕彩绘罗汉像

<u>北宋庆历七年（1047 年）/ 高 54.5 厘米 宽 21 厘米</u>

罗汉像由底座和造像两部分组成，罗汉坐姿，身穿袈裟，袒胸，面微侧，一腿跷起，搭于另一腿膝盖上面。底座为束腰须弥座，正面刻铭四行："连州弟子吴世质为男盘会保平安丁亥"。罗汉像由一块柏木制作，柏木质硬而不脆，有韧性，木纹细密，气味芳香。此罗汉像原存广东韶关南华寺中，初为 500 尊，现存 360 尊，所有刻年款者均为北宋庆历五年至七年的作品。南华寺是禅宗六祖慧能传法之地，禅宗从始祖达摩至六祖慧能，完成了佛学真正意义上的中国化。此木雕罗汉像是对此理论在形象上的诠释。

189. 新 117717 石圣僧像

北宋 / 高 95 厘米　宽 36 厘米

　　圣僧头戴僧帽，长圆形脸庞，双目微睁俯视，容颜自然庄重。内穿三层右衽装，外斜披袈裟。左肩处缝襻系带，打结固定袈裟。结禅定印，跏趺坐于方形座上。背屏作岩石状，顶刻化佛。

190. 新 42946 泥塑彩绘罗汉像

南宋／高 29 厘米　宽 18 厘米

　　罗汉身穿右衽长衣，外饰彩泥金，脚穿芒鞋，长发自脑后下垂披肩，斜倚山形座上。长衣装饰富丽，神态自然。此像原存江苏吴县紫金庵。紫金庵现存高约 1.5 米的十六罗汉像，相传为南宋民间雕塑名手雷潮夫妇所作。这件作品时代与之接近，又同出一寺，很有可能为寺院罗汉造像的小样，应为现存宋代雕塑的珍贵资料。

191. 新 42947 泥塑罗汉像

<u>南宋 / 高 31 厘米　宽 18 厘米</u>

　　罗汉泥塑，外表彩绘饰金。身着袈裟，袒
胸，双腿相交，坐于山形座上。神态安详，温
和慈祥。此像原存江苏吴县紫金庵。紫金庵
现存高约 1.5 米的十六罗汉像，传为南宋民
间雕塑名家雷潮夫妇所作，这件作品时代与
之接近，又同出一寺，为我们研究宋代小型雕
塑，提供了珍贵资料。

192. 新 131432 木雕菩萨像

<u>金 / 高 96 厘米　宽 65 厘米</u>

　　菩萨高盘发髻，发辫覆肩。眉心白毫嵌
珠，惜珠已失。双目微睁，眼角外吊，高鼻梁，
嘴角内收，面含微笑。身着半袖套头红衫，胸
垂领结，斜披帔帛。双臂缺，结跏趺坐。

193. 新 104400 木雕彩绘观音头像

<u>金／高66厘米　宽43厘米</u>

　　观音头像颈下保留着从躯体上锯下的痕迹，眉间宝珠缺失。观音面形方圆，五官凹凸感强，盘发高髻，云纹高冠中央饰化佛。造型接近加拿大多伦多博物馆所藏山西洪洞县金明昌六年（1195年）观音菩萨木雕像，推测为山西地区金代前后作品。

194. 新 104429 木雕彩绘菩萨头像

金 / 高 70 厘米　宽 36 厘米

　　菩萨头像颈下保留着从躯体上锯下的痕迹，眉间宝珠缺失。菩萨面形方圆、五官凹凸感较强，束发高髻，卷云纹冠耸起。造型与加拿大多伦多博物馆所藏山西洪洞县金明昌六年（1195 年）木雕观音像比较接近，推测为山西地区金代前后作品。

195. 新99091 铜鎏金佛坐像

<u>大理国 / 高 23.6 厘米 宽 17.8 厘米</u>

佛像头施螺髻，髻珠半圆形，有白毫，修
眉细目，双眼微张，直鼻大耳，面相圆润，慈
祥温和。身穿袒右肩袈裟，袈裟衣纹流畅，轻
薄，下垂感极强。右手腕饰钏，双手施上品上
生印，结跏趺坐。南诏、大理国时期信奉密
宗，主尊多为大日如来佛、大日遍照佛等，这
些佛像，头多为螺髻，且有半圆形珠髻，袒右
肩袈裟，袈裟线条流畅。所用铜质，胎质较薄，
且多为明黄色。此尊造像具有明显的大理国
佛教造像特征。从手印上看，上品上生印为
阿弥陀佛常用，推测其为阿弥陀佛。由于大
理国崇尚密宗，此阿弥陀佛很可能是身任西
方主尊的五方佛之一，与东方阿閦佛、南方
宝生佛、北方不空成就佛一起，簇拥中央大
日如来佛。

196．故156 铜鎏金文殊菩萨像

元大德九年（1305年）/ 高18厘米 宽13厘米

头戴五叶宝冠，宝缯结成扇形，尾端卷起上飘。文殊菩萨方额，下颌略收，双目微睁，神情怡然。上身裸露，佩戴璎珞、项饰、臂钏、腕钏等各种饰物，饰物上面镶嵌红珊瑚和绿松石。双手相交于胸前，各执长茎莲花，莲花上原有"身份"标识已丢失。结跏趺坐于束腰仰覆莲座上。座底板中间刻十字交杵，外围转圈刻发愿文："奉佛吉日全信一家捨财造文殊师利一尊，报答父母养育之恩。一切众生，共成佛道。大德九年五月十五日记耳"。此像原来的参考号为蕈二五六11/36，为清宫瓷库旧藏。核对《故宫物品点查报告·第五编·第二册·卷五·瓷库》（清室善后委员会刊行）8页，蕈二五六号对应的名称是"铜佛三十三尊"，此像为其中的第11件物品。但《点查报告》计件数33有误，实为36件。

197. 新 17059 铜释迦牟尼佛像

元至元二年（1336年）/ 高 21 厘米 宽 15.8 厘米

释迦牟尼佛螺髻，善眉信目，眉间有白毫，尖鼻，大耳，着袒右肩袈裟，左手施禅定印，右手施触地印，结跏趺坐于仰覆莲座上。座后刻铭云："出家释子智威……等发心铸释迦佛，一家南无诸佛，加被星天，护持此世来生，福报无尽，岁次丙子至元二年八月望日谨题。"元朝至元年号共有两个：一为元世祖忽必烈年号（1264～1294年），一为元惠宗妥欢帖睦尔年号（1335～1340年），属丙子年的为元惠宗年号，故至元二年应为1336年。元代金铜佛像具纪年者比较少，此像具有典型的"梵式"造像特征，是研究元代佛教造像的珍贵资料。

198. 新 115306 铜鎏金文殊菩萨像

<u>明永乐（1403～1424年）/高 20.5 厘米　宽</u>
<u>14.5 厘米</u>

　　文殊菩萨头戴宝冠，绀发，宝缯在耳后扎花结，呈"U"字形，面庞方形，修眉细目，眼睛微闭，庄重中蕴涵慈祥，鼻高直，耳朵饰珰。颈有三道，胸饰璎珞，着帔帛，下身穿裙，双手持莲茎，两肩各有肩花一朵，肩花上为经箧和宝剑。结跏趺坐，臂、腕、足有钏。仰覆莲花座，有联珠纹装饰，座上部錾刻楷书"大明永乐年施"。明朝在永乐、宣德时期，为了政治上的需要，铸造了一定数量的佛像及法器，颁赐给西藏的高僧和政界要人。这类佛像，除现存西藏文物管理部门外，故宫博物院也有一定数量的收藏，题材包括文殊、弥勒、观音、尊胜佛母等，其衣饰华丽精美，丰富繁缛，有明显的宫廷造像风格。

199. 故 110 铜鎏金四臂文殊菩萨像

明永乐（1403 ～ 1424 年）/ 高 20.5 厘米　宽 13.4 厘米

　　文殊菩萨常见的造型为一面二臂，除此也有一面四臂、三面六臂和四面八臂等造像。此像头戴宝冠，宝缯上卷，七股束发髻。方形脸庞，额头正中有圆形白毫，长眼微睁，隆准挺拔，嘴角略内收，双耳佩戴耳珰。右上手上举持宝剑、右下手拿箭，左上手握弓，左下手挡胸，拇指、无名指相捻结胜三宝印。身披帛带，显出丝绸质感；胸挂璎珞，现出华丽色彩。结跏趺坐于束腰仰俯莲座上，卷珠形花纹莲瓣。座面前刻"大明永乐年施"左书款一行。底板中间刻划十字交杵。根据记载，此像旧藏于钟粹宫中，逊清档案中曾有"辛酉（1922 年）十二月十五日，钟粹宫东配殿佛堂失慎，幸立时扑灭，未延烧"的记载。此像表面烟熏痕迹明显，当与此次火灾有关。

200．新 111871 铜鎏金金刚萨埵像

明永乐（1403～1424 年）／高 21 厘米　宽 15 厘米

金刚萨埵头戴宝冠，额头开天目。细眉修长，眼睛圆睁，头系缯带，下垂至双肩，双肩披帔帛，缠绕双臂，胸饰璎珞。右手所持法器已失，左手握铃，结跏趺坐。下为饰有联珠纹之仰覆莲座。莲座上部正中阴刻"大明永乐年施"楷书款。

201. 新 115304 铜鎏金观音像

明永乐（1403 ～ 1424 年）/ 高 19.2 厘米　宽 12.1 厘米

　　观音头戴宝冠，编织扁平发髻，顶有化佛。方额圆脸，细眉长眼，高鼻梁，棱角分明，嘴角内收含笑，神态温和慈祥。帔帛似丝绸一般飘动上卷，尾端呈燕尾状。下着裙，背后裙腰双皱左右对称。左腿平铺座面，右腿下垂踏莲台。仰覆莲座，卷珠形花纹莲瓣。莲瓣下面雕有一组连续山形摩尼珠。莲座前刻"大明永乐年施"款，笔画柔软自然。底板丢失。

202．新 115318 铜鎏金宝生佛像

<u>明永乐（1403～1424年）/ 高 21 厘米　宽 13.5 厘米</u>

　　宝生佛为五方佛之一，主管南方。宝生佛头戴五叶宝冠，面庞圆润丰满，额有白毫，修眉细目，直鼻，双唇微合，大耳饰环。头系缯带，下垂至双肩，肩披帔帛，袒上身，胸饰璎珞。右手结与愿印，左手施禅定印。结跏趺坐，下为饰有联珠纹之仰覆莲座。莲座上部正中阴刻"大明永乐年施"楷书款。

203．新 115305 铜鎏金金刚持像

明永乐（1403 ～ 1424 年）/ 高 21.4 厘米　宽 13.1 厘米

　　金刚持像头戴花蔓冠，七股束发髻。方额圆脸，细眉长眼，高鼻梁，棱角分明，嘴角内收含笑，神态温和慈祥。帔帛垂坠似丝绸一般，尾端内披臀下。下着裙，裙摆铺座，裙边呈波浪纹。仰覆莲座，卷珠形花纹莲瓣。莲座前刻"大明永乐年施"款。原装底板。

204. 新119636 铜鎏金绿度母像

明永乐（1403～1424年）／高18.9厘米　宽11.2厘米

绿度母头戴花蔓冠，七股束发髻。长圆脸，细眼微睁，高鼻梁，棱角分明，嘴角内收含笑，神态温和慈祥。帔帛垂坠似丝绸一般，尾端内掖臀下。下着裙，背后裙褶左右对称。盘左腿平铺座面，右腿下垂踏莲台。仰覆莲座，卷珠形花纹莲瓣。莲座前刻"大明永乐年施"款。底板丢失。

205．新 111872 铜鎏金尊胜佛母像

<u>明永乐（1403 ~ 1424 年）／高 19 厘米　宽</u>
<u>12.5 厘米</u>

　　尊胜佛母是藏传佛教中的长寿三尊之
一，是毗卢遮那的化身。此造像三头八臂，主
尊白色，右手持十字交杵，左手持绳索，左右
六臂分持弓、宝瓶、阿弥陀佛像、箭、禅定印、
与愿印等。结跏趺坐。座前左右下垂二飘带，
从腿下前伸至座前。底板中刻阴阳纹，外为
杵状物，有联珠纹装饰。施朱，表面银亮。这
些均为"永乐"、"宣德"款铜造像的典型特征。
明朝在永乐、宣德时期，为了政治上的需要，
铸造了一定数量的佛像，以颁赐给西藏的高
僧和政界要人。这类佛像，面相方中见圆，五
官匀称，丰满端正。面略向左（或右）下倾，
眉眼细长，静穆柔美，略带笑意。其造像衣饰
华丽精美，丰富繁缛，深深烙上了豪华精美的
皇家气派。

206. 新110004 铜鎏金弥勒像

明永乐（1403 ~ 1424 年）/ 高 23 厘米　宽 14 厘米

弥勒是梵语 Maitreya 的音译，意译为"慈氏"。相传生于南天竺的婆罗门家庭，后成为释迦牟尼的弟子。他先于释迦入灭，上生兜率天。释迦涅槃后，他下凡华林园，开三番法会，超度世人，成道为佛，故弥勒又称"未来佛"。弥勒面相方中见圆，丰满端正，五官匀称，眉眼细长，静穆柔美中略带笑意。细腰宽肩，肩、腰呈倒三角形，肩上有莲花与壶各一。宝冠、缨珞、项饰、耳当等装饰繁缛。底座为双层仰覆莲，莲座上下各有一周镶嵌整齐的连珠纹，座上部中间錾刻"大明永乐年施"。"永乐"款铜造像，是朝廷专为颁赐西藏地方政府官员、宗教界上层人士而铸造的。铸造者选用了上乘铜材，采用先进的铸造技巧，融合藏、汉两地造像风格于一身。"永乐"款铜造像豪华精美，在众多造像中独树一帜，别开一家风貌。

207．新 118502 铜鎏金释迦牟尼佛像

明永乐（1403 ～ 1424 年）/ 高 22 厘米　宽 13.7 厘米

　　释迦牟尼（约公元前 565 ～ 前 485 年）姓乔达摩，名悉达多。相传为古印度北部迦毗罗卫国净饭王太子，释迦牟尼是信徒对他的尊称，意为释迦族的圣人。他有感于人世生、老、病、死各种苦恼，决心为世人找到解脱方法，于是舍弃太子之位，出家修行，在菩提伽耶，得证无上大菩提，终成觉者（佛陀）。后至鹿野苑说法，讲解四圣谛、八正道，创立佛教。此释迦牟尼像，绀青螺发，顶有鎏金宝珠，面庞圆润，额有白毫，修眉细目，双眼略向下视。直鼻，唇微张，双耳下垂，耳垂中空。颈施三道弦纹，身穿袒右肩袈裟，结跏趺坐，右手施触地印，左手结禅定印。底座为双层仰覆莲座，仰莲瓣略短，覆莲瓣稍细长，仰覆莲瓣之间夹成锐角，莲座底部略大于上部，平稳均衡。莲座上下层各有一周镶嵌整齐的连珠纹。"大明永乐年施"款錾刻在基座上部中间部位。"永乐"款铜造像素以衣饰华丽精美、装饰丰富繁缛称著于世，宝冠、缨珞、项饰、耳珰的精细雕刻，更令人目不暇接，叹为观止。此件造像，简洁生动，质感极强，神情表达之准确，望之俨然、即之也温。所用铜质之精，鎏金工艺之美，洵为有明一代佛教造像的上乘之作。

208．新 115319 铜鎏金文殊菩萨像

明永乐（1403～1424 年）／高 26.3 厘米　宽 17.7 厘米

　　文殊菩萨头戴宝冠，束三股发髻。方额圆脸，细眉长眼，高鼻梁，棱角分明，嘴角内收含笑，神态温和慈祥。帔帛宽肩下垂，在体侧盘成环状，下端呈燕尾状。下着裙，裙摆铺座，裙边卷曲成波浪形。仰覆莲座，卷草形花纹莲瓣。莲座前刻"大明永乐年施"款，款识笔锋平直坚硬。原装底板，中间刻划十字交杵。

209. 新 111873 铜鎏金无量寿佛像

明永乐（1403 ~ 1424 年）/ 高 25.2 厘米　宽 17 厘米

　　无量寿佛头戴花蔓冠，葫芦形发髻。方额圆脸，神态温和慈祥。披帔帛，帔帛在小臂外侧盘成环状，正面雕刻纹饰，尾端呈燕尾状。下着裙，裙摆铺座，裙边卷曲成波浪形。仰覆莲座，卷草形花纹莲瓣。莲座前刻"大明永乐年施"款。底板丢失，内刻数字"二十一"。

210. 新118505 铜鎏金阿閦佛像

<u>明宣德（1426～1435年）/ 高28.2厘米　宽</u>
<u>19.5厘米</u>

　　阿閦佛头戴花蔓冠，螺发肉髻。身穿袒右式袈裟，双排连珠纹隔出小方格，内刻花朵图案。腹前雕刻竖置金刚杵，纹饰自然流畅。卷草形仰覆莲座，座前刻"大明宣德年施"款。座底板失，内刻数字"廿三"。

211. 故 155 铜鎏金观音像

<u>明宣德（1426～1435 年）/ 高 25.9 厘米 宽</u>
<u>18 厘米</u>

　　观音头戴宝冠，冠正中有化佛一尊，编织扁发髻。面方正丰满，双目微睁，面含笑意，神态庄严祥和。右手抚地，左手当胸持经书。左右两肩各有一朵盛开的莲花。身披缠绕双臂的长帛，下着长裙，衣纹有轻柔的波纹流动，充满韵律，极富质感。胸前璎珞繁密，装饰华丽。左腿盘曲平置，右腿下垂足踏一朵出茎莲花。仰俯莲台上下装饰圆形链珠，瘦长卷草形莲瓣。座面前方左书"大明宣德年施"款一行。原装底板，中间刻划十字交杵。

212. 新 118503 铜鎏金无量寿佛像

明宣德（1426～1435年）/ 高 25.6 厘米 宽 17 厘米

　　无量寿佛头戴花蔓冠，葫芦形发髻。方额圆脸，神态温和慈祥。禅定印，手捧宝瓶。披帔帛，帔帛在小臂外侧盘成环状，正面雕刻纹饰，尾端呈燕尾状。下着裙，结跏趺坐，裙摆铺座，裙边卷曲成波浪形。仰覆莲座，卷草形花纹莲瓣。莲座前刻"大明宣德年施"款。底板丢失，内刻数字"三"。

213. 新 115313 铜鎏金观音像

明正统六年（1441年）/ 高 25 厘米 宽 17 厘米

　　观音头戴五叶冠，冠上有化佛，头略向右偏。胸饰璎珞，肩披帔帛，右手施与愿印，左手结心印，双手持莲，缠绕至肩部，右舒相座。下为仰覆莲座，莲座背面下部阴刻"正统六年七月吉日造"楷书款。此尊造像有明显的永乐、宣德造像风格，但在材质、比例结构和精美细致方面，还是逊色不少。

214. 新 135673 高义造铜地藏像

<u>明正统九年（1444 年）/ 高 21 厘米 宽 17.5</u>
<u>厘米</u>

　　此像作沙门形象，光头，额有白毫，双眉修长，两睛微闭，大耳下垂。身穿袈裟，袈裟幅边有装饰。结跏趺坐，左手平置腹前，手中托宝珠，右手握拳，中空。下为须弥座，座前正中有一小狮子，仰头向上。座上刻"大明正统九年岁次甲子，造佛人高义"款识。从形象上分析，此造像应为地藏菩萨。地藏菩萨因"安忍不动犹如大地，静虑深密犹如秘藏"而得名，与文殊、普贤、观音并称为中国四大菩萨。他处于释迦涅槃之后、弥勒未生之前，发誓要尽度六道众生，拯救诸苦，始愿归成正果，因此也被称为"大愿菩萨"。供养地藏，可得土地丰壤、家宅永安、先亡生天、现存益寿、所求遂意、无水火灾、虚耗辟除、杜绝噩梦、出入神护、多遇圣因等十种利益。地藏形象出现在北凉时期，唐、五代、两宋时期广为流行，并持续到明清，民间信仰尤甚。其形象主要有沙门、菩萨两种。沙门形一般身穿袈裟，一手持锡杖，一手持宝珠。此像左手托有宝珠，右手中空，推测原来所握者为锡杖。地藏信仰最初与观音信仰有相似的地方，均有不同的化身，救人于危难苦困之中，但由于观音形象在世俗中已深入人心，所以人们将其赋予新的含义，观音侧重于世间，地藏侧重于阴间。在图像中他常与六道、十王等联系到一起。地藏脚下常有一个小狮子，敦煌文献《道明和尚还魂记》记载道明和尚"见一禅僧，目比青莲，面如满月，宝莲承足，璎珞庄严，锡振金环，衲裁云水。"其旁有一狮子，道明询问缘由，答曰："此是大圣文殊菩萨化现在身，共吾同在幽冥救诸苦难。"由此可知此小狮子实际上是文殊菩萨的化身。

215. 新 20531 铜佛像

明弘治十五年（1502 年）/ 高 21.5 厘米 宽
14.8 厘米

佛结跏趺坐于束腰仰覆莲台座上，右手
施触地印，着右肩半披式袈裟。座后刊造像记：
"弘治十五年正月二十日造修。造善人姬名，
妻薄氏，男姬惠"。推测为释迦成道像。

216. 新 132085 赵亮等造铜佛像

明正德六年（1511 年）／高 36.4 厘米　宽 23.5
厘米

　　佛结跏趺坐于束腰仰覆莲座上，结禅定
印，着右肩半披式袈裟。座背面刊造像记："正
德六年信士赵亮，弟赵和、赵云南造。"

217. 新 120405 陈佐造铜鎏金文殊菩萨像

明嘉靖十一年（1532年）／高41.8厘米　宽30厘米

　　此件文殊菩萨像，头戴发箍，条发顺肩垂下。面形方颐，耳阔长垂，双目慈蔼下视。身披宽袖花边大衣，双领下垂，胸部袒露，善跏趺坐在卧狮背部，手作说法状。狮身下有椭圆形仰覆莲基座。座后刊造像记："大明嘉靖十一年初八父讳日，男陈佐发心追造。"此像铜质良好，鎏金均匀，莲座与狮子造型精致，雕工纯熟，是明代金铜佛像中的上品。文殊菩萨被视为四大菩萨之一，文殊菩萨坐骑的狮子，表示智慧威猛，在南亚诸国有许多以狮子为题材的民间故事。狮子被誉为"兽中之王"，佛教常以狮子比喻佛法威猛，能摧伏一切邪魔。

218. 新 135668 王就都等造铜佛像

明嘉靖四十二年（1563年）/ 高 25.3 厘米
宽 5.5 厘米

　　佛结跏趺坐于束腰仰覆莲座上，右手施
触地印。推测为释迦成道像。座后刊造像记：
"崞县王就都信士造佛。杨代、妻程氏，男杨彦。
嘉靖四十二年六月吉日造。"崞县属于太原府，
在今山西原平与代县之间。这是一尊珍贵的
有造像人籍贯的明代佛像。

219．新 136105 米色釉布袋和尚像

<u>明万历（1573～1620年）/高 9.3 厘米　宽</u>
<u>14 厘米</u>

　　此像釉面呈淡黄色，有冰裂纹。布袋和
尚赤足席地，游戏坐姿，身旁有一布袋，右手
执布袋的系绳。光头大脑，长眉笑目，两耳垂
肩。身着宽袖僧衣，袒胸露腹，开怀畅笑。像
底部有"万历年弟子蒋元裕塑"款。这是一
尊罕见的有纪年款布袋和尚像。布袋和尚为
唐末明州（今宁波）奉化神僧，宋赞宁《宋
高僧传》载布袋卒于唐天复年间（901～904
年），北宋杨亿《景德传灯录》载卒于后梁贞
明二年（916年）。传其人行动奇特，临终前
口念"弥勒真弥勒，分身千百亿，时时示时人，
时人不自识。"的偈语，被人称为弥勒化身。
北宋以降，弥勒佛通常用布袋形象表现出来，
但已超出了弥勒作为未来救世主的含义，更
多地象征着吉祥与富足，表现了人们对美好
生活的憧憬。

220. 新 39101 米色釉布袋和尚像

<u>明／高 10 厘米　宽 13.5 厘米</u>

　　布袋和尚游戏坐，右手执布袋的系绳。
袈裟涂金，前面的涂金多已脱落。此像与前
述明万历年间布袋和尚像造型一致，应为相
同时期作品。

221. 新 143206 德化窑白釉观音像

明／高 47 厘米 宽 13.5 厘米

　　观音头部微低，双目微垂，双手拱于身前。其发髻高束，身披长巾，胸前璎珞珠佩亦作如意形。双手隐于衣衫内，赤足站在浪花翻滚的海涛上，作乘风破浪、疾驰而行状。其衣衫被海风微微拂起，神情默然，耐人寻味。通体施白釉，中空。塑像的工艺技术成就，代表了德化窑的高超水平。德化窑位于福建腹地山区的德化县，始于唐代，宋代起渐产白瓷，明代达到了高峰。明代德化白瓷在继承传统工艺的基础上，进一步将追求玉器质感的完美性发展到历史的巅峰，代表了这种技术水准的是乳白釉瓷器。这种瓷器的胎骨坚致，俗称"糯米胎"。带有晶莹的光泽，釉水洁净匀厚，与胎骨结合紧密，浑然一体，呈色温润剔透，素实雅观。器体在光线照耀下，可映见指影，敲击时发出清悦悠扬的金属声。乳白的釉色仔细观察又分为两种情形，一种白中晕泛粉红，犹如婴孩肌肤般的鲜嫩，俗称"孩儿红"；一种白微闪黄，俗称"猪油白"，适宜于仙佛人物塑像的烧造。这类塑像领尽风骚，有"东方艺术"之誉。此像亦为明代德化窑瓷塑的典型作品。

222. 新 80359 明铜释迦牟尼苦修像

<u>明 / 高 16 厘米 宽 13 厘米</u>

　　释迦牟尼赤足游戏坐于圆形草垫上，骨
瘦嶙峋，头发卷曲，头顶肉髻凸起。两耳长垂，
胡须连腮，额及颧骨突出，双目微合，嘴唇紧
闭。胸部骨骼突显，下身裤脚上撸，露出细如
干柴的双腿。两手搭在右膝上，为一极度夸
张的异域修行者造型。此像雕工精细，纹理
清晰，构思巧妙，造型新颖，人物形象极富个
性化。为明代雕塑作品中之佳品。

223．故 2 铜释迦牟尼苦修像

<u>明／高 19 厘米　宽 11 厘米米</u>

　　此像为拨蜡法铸造。头顶光亮，四周毛发卷曲，唇、鬓蓄须。释迦牟尼首微低，面容清癯，上身袒露，小腿一结跏盘坐，一直立，双手搭于膝上。类似的作品，在故宫尚有收藏。对苦修形象的刻画，中国与印度略有不同，同是瘦骨嶙峋、突出筋骨，印度在表现释迦牟尼修行时，多以禅定形象出现。而中国在塑造此形象时，常出现舒缓自在之姿，给人以亲近之感。

224. 故58 "石叟" 款铜佛像

<u>明 / 高 21 厘米 宽 8.3 厘米</u>

　　石叟是明代晚期一位佛像冶铸大师。石叟作品主要为佛教人物，观音尤多。所用铜材，以紫铜为主。这种紫铜，质地精细，润泽发光，是经过反复冶炼，剔除铜中杂质后所铸。石叟造像注重对作品神韵的塑造，所嵌银丝，纤细流畅。此尊佛像，螺髻，面庞圆润，额头有白毫，双目微合，身穿袈裟，跣足直立仰覆莲座上，像背后银丝镶嵌 "石叟" 款。

225. 新 38841 "文南" 款铜佛像

明 / 高 50 厘米 宽 16 厘米

此像座缺失，像背刻 "文南" 款。佛左手托珠，右手二指指地。此像袈裟纹理光洁，显系受到了当时瓷塑作品影响。

226. 新 120328 铜观音像

明／高 45.6 厘米　宽 17.3 厘米

　　观音立在束腰仰覆莲圆座上，两手似施
转法轮印。着五叶式花蔓冠，花蔓冠前部中
央为一化佛，顶端置一宝珠。左肩一鹦鹉，右
肩一注子，注子应为净水瓶的另一种表现。
化佛是观音的标志性用物，鹦鹉与净水瓶则
常见于水月观音像，推测该像是受到水月观
音造型影响产生的观音像。

227. 新 120411 "石叟" 款铜观音像

<u>明／高 30 厘米　宽 21.5 厘米</u>

　　观音头罩兜篷，衣口袒露，下着长裙，右腿上翘，作自在状。面庞清秀雅静，超凡脱俗，令人起敬慕之心，生高尚之趣。衣纹折叠有序，起伏变化自然，加之高超的嵌银丝技术，使得造像具有极高的艺术价值，这也是石叟作品与其他佛教造像的不同所在。像背后银丝镶嵌 "石叟" 款，体兼隶篆，更增加了作品的典雅气质。

228. 故 333 "石叟"款铜观音像

明／高 14.6 厘米 宽 13.5 厘米

　　观音直鼻，小口，目光慈祥，庄重娴雅。衣纹随形体处理，简洁流畅，手、足、发刻划细致入微，衣饰嵌银丝，背用银丝嵌"石叟"款，体兼篆隶。石叟为明晚期铸铜名匠，其造像与一般宗教造像相比，具有高超的艺术性。对作品美的追求远远超出了供奉崇拜之实用要求，特别是对神韵的刻画，更非普通工匠所企及。其造像所用铜质，系经过反复冶炼、剔除各种杂质而成，从而更增强了作品的艺术表现力。

229. 新 126053 铜观音像

明 / 高 9.2 厘米　宽 6.5 厘米

　　观音高盘发髻，五官端庄自然，双目微睁下垂，一副悲天悯人的神态。双手交叉，右手下垂，左手略翘三指结成环状。肩覆帛巾，身披大衣，内着裙，裙腰至胸，衣纹流畅生动，衣摆覆地，露右足。左腿盘地，右膝支立，呈游戏坐姿。

230. 故 1 "石叟" 款铜观音像

明 / 高 50.3 厘米 宽 16.6 厘米

　　石叟是明代晚期一位佛教造像冶铸大师。石叟的身世，史籍乏载，但名字却因其作品流传下来。石叟的铜像作品，主要为佛教人物，观音尤多。观音菩萨或头戴兜蓬，站立于波涛之上；或自在端祥，斜倚于书箱之旁。形象虽有不同，总体风貌却无二致，无论是兜蓬法衣观音、渡海观音，还是书箱观音，均突出其端庄宁静、娴雅可亲的气质。流畅飘动的衣带，自然悠闲的姿态，加之细如毫发的镶嵌银丝，古朴凝重的紫铜质地，更强化了观音菩萨的精神魅力。石叟铜造像所取得的艺术成就，与明代高度发达的冶铜技术密不可分。在此之前宣德时期所铸铜炉，便是经过多次溶解提炼、剔除了各种杂质后冶炼出来的，其铜质精美、色调柔和多样，表面光泽细润，并以鎏金或鎏银为常用装饰手法。石叟所用铜材，与普通佛教造像使用的青铜、红铜并不一样，它以紫铜为主。这种紫铜，质地精细，润泽发光，是经过反复冶炼，剔除铜中杂质后所铸。石叟作品源于特定的时代文化内涵。这一时期是中国工艺美术的辉煌时期，一大批工艺大师在各自的领域，取得了超越前人的成就，从而为石叟的创作，提供了条件。石叟不仅从南京、苏州等地冶铜大师甘文堂、周文甫、胡文明等人作品中获得启迪，也从其他门类中汲取了养分，如渡海观音等形象，与德化窑何朝宗等人的作品极为相似。人们之所以将石叟作品与一般青铜佛教造像区别开来，还在于其文化内涵不同。一般作品多为供奉之物，主旨在供奉崇拜，造像艺术性退居其次，石叟铜造像则不然，对作品艺术性的严格要求超过了供奉崇拜的实用要求。当时乃至以后人不惜重金购买石叟铜造像，显然源于作品精美的艺术水平与丰富的文化内涵。这一倾向不仅反映在文人士大夫阶层（林则徐在给朋友的信札中提及朋友为其购得石叟作品事），还反映在清代宫廷中，故宫博物院收藏的石叟作品，相当部分为清宫旧藏。后人对石叟作品的大量仿制，更从另一个侧面，映证出其作品的不同凡响。

231. 新 74895 却英多吉造铜杨柳枝观音像

清／高 15.5　宽 5.3 厘米

观音像红铜铸造，头戴三叶宝冠，眼睛嵌银，右手上举持杨柳枝，左手下垂提净瓶，赤足立圆形覆莲台座上。像背后刻有藏文款，汉意为"尊者却英多吉亲造"。十世黑帽系噶玛巴却英多吉（Kar-ma-pa Chos-dbyings-rdo-rje，1604～1674 年）生活在 17 世纪，被公认为是一位多才多艺的画家和雕塑家。他创造的传世作品保留下来数量不少，很多前面都加有尊称，推测是工匠根据他塑造的造像蜡模铸造完成后刻上去的。

232．故 818 木雕彩绘旃檀佛像

清／高 37.5 厘米　宽 13.2 厘米

　　此佛像双足并立、高发髻涂彩，双手缺失，但从形态看应施无畏与愿印。表情安详，头部施彩。身披圆领通肩袈裟，衣纹刻划为双线凸起的规则"U"形水波纹。体型丰满、刻工精湛，造型美观。

233．故 851 木雕接引佛像

清 / 高 30.5 厘米　宽 12.5 厘米

　　此佛像螺髻，双耳垂肩，面含微笑，面目慈祥亲善。右手为持物状，左手为接引状。胸前有三条璎珞从颈部垂下。衣服的造型颇具生活化，衣纹刻划简洁但不失精细。整体造型比例均匀美观。此像原为紫禁城毓庆宫旧藏。《故宫物品点查报告》第二编中记此像参考号为"余一三〇三"，对应的名称是"木胎接引佛"。

234. 故756 木雕金漆彩绘佛像

清 / 高33厘米 宽16厘米

此佛像施禅定印，跏趺坐，通体漆金彩绘，整体造型和谐。佛髻涂蓝彩，双目微垂，表情静谧。尖顶扇形背光，外层朱砂绘火焰纹，内层绘佛教八宝纹饰。仰覆莲瓣座，置六角塔座形底座上。佛像整体刻工精湛，彩绘细腻，充分表现出佛像的端庄和慈悲。

235. 故 921 木雕金漆观音像

清 / 高 20.8 厘米　宽 14 厘米

　　此像通体漆金，由跏趺坐观音像、仰覆莲座、台座组成，总共 4 层。观音表情慈祥，高发髻，左手持柳枝，右手托瓶，身披衣帛。衣纹刻划细腻，线条流畅。下面莲座上的莲瓣扁平，莲头上翻。再下面是围栏状台座，这层和底下的台座装饰纹相同，刻工精湛。围栏形的台座更衬托出观音的雍容和高贵，表现出皇家对观音菩萨的尊崇。此像原为紫禁城慈宁宫花园旧藏。《故宫物品点查报告》第五编中记此像参考号为"果一九六"，对应的名称是"大小木佛龛八十五座（各带佛像，计玉佛二十一尊、铜佛六十四尊）"，此像为其中的第 42 件物品。《故宫物品点查报告》中没有提到有木雕佛像，是将这件原来放在佛龛中的木雕金漆佛像混为铜鎏金佛像了。

236. 故831 木雕菩萨像

<u>清 / 高 31 厘米　宽 16 厘米</u>

　　此像双脚并立于覆莲台座，葫芦形高发
髻，面涂金漆。双目前视，耳戴圆环装饰。胸
前双臂、双腿都有璎珞环绕，双手于胸前持
物轻握。上身披帛，画有红彩。整体造型端庄，
刻工精湛。

237. 故 157 铜鎏金观音像

<u>清 / 高 28 厘米　宽 18 厘米</u>

　　观音头戴宝冠，冠上有化佛。身披帔帛，胸饰璎珞，右手持杨柳枝，左手托瓶，似在将甘露洒向人间。观音结跏趺坐于莲台上。莲台左右协侍为善财童子和龙女。

238. 新105089 铜鎏金观音像

清／高32.2厘米　宽21厘米

　　此件观音像由各部件分铸后组合在一起。下部为束腰形须弥座，座上铸成涛水状，水中央生出一粗茎大莲花，莲花上观音游戏坐，头戴披风。莲花干茎上又分出二枝茎，茎上又各出一莲花，莲花上分别为执净水瓶龙女、合掌善才童子。善才童子出《华严经》，龙女出《法华经》，此像是融合此二经典的观音造型。

239．新 88269 德化窑观音像

<u>清／高 48 厘米　宽 14 厘米</u>

　　此像头披观音兜，顶有化佛，长圆脸，五官端庄恬静。双手交于腹前，跣足立于波涛上。造像釉色厚润，衣纹自然流畅。

240. 新 156606 "筍江"款德化窑观音像

<u>清／高 45.7 厘米 宽 14 厘米</u>

　　此像头披观音兜，顶有化佛，长圆脸，五官端庄恬静。双手交于腹前衣内，跣足立于波涛上。背印双边长方框"筍江"款。

241. 新 88272 "林学宗" 款德化窑达摩像

清 / 高 17 厘米 宽 6 厘米

达摩面部棱角分明，深目圆睛，目光深邃犀利，高鼻梁，络腮卷曲胡须。双手拱于胸前，跣足而立。背印葫芦形"林学宗"款。

242. 新 98703 "玉璇" 款寿山石罗汉像

清／高 7 厘米　宽 6 厘米

　　罗汉内着交领衣，外披袈裟，双手端捧宝塔。发式、衣饰雕刻精美，神态安详。像背镌"玉璇"款，为清代雕刻名家杨玉璇的代表作品。杨玉璇，又名杨玑、杨璇，康熙朝寿山石雕名匠。原籍福建漳浦，客居福州。曾做过内府御工，擅长雕刻人物、兽钮，对后世石雕工艺有很大的影响。

243. 新 178459 "玉璇" 款寿山石伏虎罗汉像

清／高 6 厘米　宽 6.5 厘米

　　寿山石，学名"腊石"，色彩瑰丽，品种繁多，石质柔润易雕，因产于福建省福州市北峰区寿山乡而得名。福建省的寿山石雕历史悠久，宋代以后逐渐兴盛，并以雕刻技艺精湛、善于利用石质纹理因材施刻而闻名。此罗汉像为坐式，右手持莲花，左手抚虎背，胸前装饰一佛头。头颈白色，肩以下及虎身均为红色，眼珠、眉、须为黑色，腰带及袖口有金色纹饰。降龙伏虎乃佛教故事，谓用法力制服龙虎。《续高僧传》卷十六载："（僧稠）闻两虎交斗，咆响震岩，及以锡杖中解，各散而去。"伏虎罗汉在各地庙宇里的十八罗汉群像中可以见到。清代龛供小型雕像盛行，此像为一例证。像的背面有"玉璇"二字，玉璇为杨璇之字，杨为清初福建漳浦人，客居福州。康熙时《漳浦县志》中《杨玉璇传》记载："杨玉璇善雕寿山石，凡人物禽兽器皿具极精巧，当事者争延致之。"

244. 新 156555 寿山石罗汉像

清 / 高 7.8 厘米 宽 5.7 厘米

　　罗汉游戏坐，右手托钵，一猕猴正向罗汉献桃。小猴的稚气可爱，与罗汉的安详和悦浑然一体。据玄奘译《法住记》，十六罗汉在释迦牟尼灭度后，护持正法，不入涅槃。在明清时期的民间美术中，献桃通常与祝寿有关。罗汉和猕猴献桃的组合，反映了人们祈求吉祥长寿的愿望。

245. 新 131609 "尚均"款田黄石布袋和尚像

<u>清／高 5.5 厘米　宽 12.3 厘米</u>

　　此布袋和尚像，身着袈裟，袒胸，斜倚于布袋旁。像用田黄石，刀法简洁明快，神情毕现。像背镌隶书"尚均"二字。尚均，名周彬，清朝前期石雕名家，福建漳州人。擅长制印钮，旁涉人物、花卉、山水等。善于捕捉事物特征，进行艺术夸张，作品深受时人称誉。

附录：相关词汇释义

冯贺军

明器

明器也称"盟器"、"冥器"。明器一词，最早出现在《左传》中，是周王分封诸侯时赏赐的宗庙重器。明器同时也指丧礼中所陈器物。这种丧礼中所陈器物多用芦苇、陶土等材料制成，不具备实用性质，但包括死者生前使用过的宴乐器等，它与祭器是被严格区分开来的。《荀子》中提到的"荐器"包含生器与明器两种。生器是为活人而准备的，即人器；明器也称"盟器"、"冥器"，是为死人而准备的，即鬼器。

俑

俑主要是指中国古代墓葬中用于陪葬的偶人，也包括镇墓的神兽与各种动物形象。故宫博物院藏有丰富的陶俑，几乎涵盖了其历史发展的全过程。其中，两汉、魏晋南北朝、隋唐时期数量尤多。两汉陶俑在继承秦兵马俑创作方法同时，更注重社会生活的反映，逐渐形成西安、徐州、洛阳、巴蜀、广州等不同的地域特色。魏晋南北朝陶俑分为南、北两大系统，衣冠服饰，各有传承。隋唐陶俑题材广泛，特征鲜明。女俑肥胖，仪态雍容。三彩俑色彩斑斓，制作精良，是唐朝标志性的工艺美术品种之一。两宋以后，受经济与社会风尚变化的影响，陶俑形体矮小，胎体松软，制作呈现出衰退趋势。陶俑是中国古代文化组成部分之一，其丰富的内涵是研究中国古代社会习俗、服饰及雕塑艺术的重要资料。

秦始皇陵兵马俑

位于陕西临潼县秦始皇陵东。建于秦统一中国之前，公元前 209 年停工。目前已经发现 4 个兵马俑坑，出土了数量众多的兵马俑。这些兵马俑完全按照秦国军队的真实形象塑造。兵马俑用陶模翻制，然后套合粘接，再对五官、铠甲、衣饰等细部进行艺术加工。作品写实逼真，是中国古代雕塑的重要作品。

昆仑奴

"昆仑"一词，在古代除指昆仑山以外，还指黑色的东西。唐人沿用此义，将黑人统称为昆仑人。这些黑人多来自南洋诸岛等地。他们或是精习乐舞，供主人娱乐，或是充当奴隶，供劳役驱使，故时人也称其为昆仑奴。昆仑奴俑在西安等地的考古发掘中屡有出土，它是当时社会的一个缩影，映衬出繁荣强盛的大唐王朝万邦来朝、四海辐辏之景象。

大食

大食是唐朝对阿拉伯人的称呼。伴随着中外文化交流的日益频繁，中国的造纸术、炼丹术传到大食，然后由大食西传欧洲。大食的许多商人，通过丝绸之路来中国经商，换取中国的丝绸等产品。唐代墓葬中发现的大食人俑，就是这一历史背景下的产物。

唐三彩

唐三彩是指在制成陶坯并烧到 1100 度左右后重新上釉，二次入窑烧而制成的一种新工艺，是唐代以绿、黄、白为主色的彩色釉陶的通称。出现于高宗、武则天时期，盛唐时期达到顶峰。它以铅为熔剂，配以铜、铁、钴等作着色剂，由于铅釉的熔化与流动，造成各种颜色的相互浸润，形成色彩斑斓的艺术效果。

半臂

半臂是一种衣服样式。最早可能出现在魏晋南北朝时期，盛行于唐朝，后逐渐衰落。关于半臂，学术界有不同的认识。一般认为半臂与半袖意义相同，男女通用。也有人认为半臂为男子服饰。半臂多为锦制，成都是其生产制作的中心。

幞头

幞头也称"襆头"、"折上巾"、"软裹"，最初是士兵在行军打仗时包扎头发的巾子。方法是将头巾裁出四脚，就头裹之，两带以系巾，两带下垂（俗称脚）以为装饰。幞头起源于魏晋南北朝时期。隋唐时，幞头遂盛行一时，上至皇室贵戚，下至一般平民百姓，贵贱通服，以为时尚，不仅限于男子，女子亦然。最初较低平，其后渐高，内多衬桐木等以为假髻，便于束扎。脚的形状变化更多，至五代流行二脚上翘的"朝天幞头"，宋代以后又出现弓脚幞头、卷脚幞头、展脚幞头、交脚幞头等形式。

裲裆

裲裆也称"两当"，古代服饰名称。分前后两部分，其前当胸，其后当背，在肩上用扣带相连。裲裆上多缀甲片，以作防御护身之具。它最早出现在三国时期，盛行于南北朝与隋，为当时武官的主要服装。

镇墓兽

镇墓兽是为了镇摄鬼怪、保护死者灵魂而在墓室内置放的一种怪兽。从考古发现的情况考察，镇墓兽出现于战国时期，流行于魏晋至隋唐时期。隋唐时期的镇墓兽，一般设置在墓室内或墓门前，一人面，一兽面，左右相对。早期镇墓兽多为木质，陶质极少，汉以后主要为陶质，唐代三彩镇墓兽制作尤为精美。

汉代画像石

画像石是一种雕刻有图像的石质建筑材料，以两汉时期成就最高。两汉时期画像石分墓室画像、石棺画像、祠堂、阙等类型。按地域分山东地区、南阳地区、徐州地区、巴蜀地区、陕北与晋西北地区五大区。主要题材包括六类：一是汉代社会现实生活和墓主人生前事迹，如耕种、织布、造车、冶炼、捕鱼、狩猎、战争、车马出行、庖厨、收租、百戏、乐舞、宴饮等；二是历史人物与历史故事，如帝王将相、圣贤隐士、列女孝子等；三是神话传说与祥瑞禽兽，如伏羲、女娲、东王公、西王母、青龙、白虎、朱雀、玄武等；四是建筑物，如阙、亭、阁、楼、台、仓房、桥梁等；五是天体与自然景物，如日、月、星、云、山、草、树、木等；六是装饰图案，包括各种菱形纹饰、钱纹、三角纹、树纹等。雕刻方法分阴线刻、浮雕、透雕三种。

汉代画像砖

画像砖是墓室建筑的一部分，也是社会经济发展与厚葬之风盛行的产物。画像砖制造大体需要选择原料、淘洗、加工制泥、拉坯成形、印制花纹、入窑烧制等几道工序。画像砖有两种印模，一种为阳模，印出凹形画面；一种是阴模，印出凸形画面。阳模较阴模早，数量也多。画像砖的内容分成三类：一类是人物和动物，如兽头铺首、守卫武士、青龙、白虎、墓主人出迎、狩猎、出行等；一类是花纹图案，如几何纹、菱形纹、柿蒂纹、四叶纹、平置"S"形纹、米字纹、乳丁纹等。画像砖的发展顺序为：陕西关中地区（秦～西汉），河南洛阳地区（西汉中期～新莽时期）与郑州地区（西汉中晚期～东汉早期），巴蜀地区（西汉晚期～蜀汉时期）。

阴线刻

阴线刻是指在石块表面勒刻物像轮廓的一种方法，包括凹面刻和凸面刻两类。凹面刻是将物像轮廓内剔成凹陷的平面，再以线刻来刻划物像细部。凸面刻恰好相反，是在物像轮廓外减地，使物像凸出平面。

圆雕

圆雕又称立体雕，是指不依附在任何物体或背景上、独立的、可以四面观赏的雕塑。

浮雕

浮雕是在平面上雕出凸起的纹饰或物像的一种雕塑方法。浮雕根据其高出石块表面程度的不同分成浅浮雕和高浮雕两种。浅浮雕类似凸面刻，但物像呈弧形凸起，比凸面刻形象感强。高浮雕是指物像浮起特高，有层次感、立体感的雕塑，也有几种雕刻技法结合使用的形式，多见于高精繁杂的雕刻作品。

透雕

透雕是将作品某些部位镂空，使其三维空间得到充分表现的一种雕塑手法。

四神

古代四神指：青龙、白虎、朱雀、玄武，又称四灵、四象等。四神原本是远古人类崇拜的动物神，其起源与原始星辰崇拜有直接关系。朱雀是"四神"中的南方之神，朱为赤色，像火，南方属火，所以叫朱雀。玄武是龟与蛇相缠而成的图案，它是"四神"中的北方之神。

二十四孝

中国古代二十四个孝行人物。孝行思想在中国古代深入人心，孝义内容充斥正史，弥漫民间。两汉以降，孝义是中国古代社会最重要的伦理思想之一，各种图画成为最有效的示范宣传手段。宋朝逐渐形成舜子耕田、老莱子娱亲、郭巨埋儿、曹娥投江等相对固定的二十四孝行故事。元人郭居敬在前人基础上辑录《二十四孝》，"序而诗之，以训童蒙"，这些内容遂成为人们耳熟能详的故事。

释迦牟尼

释迦牟尼姓乔达摩，名悉达多，释迦牟尼是信徒对他的尊称，意为释迦族的圣人。相传其为古印度北部迦毗罗卫国净饭王太子，生活在约公元前565至前485年间。他有感于人世生、老、病、死各种苦恼，决心为世人找到解脱的方法，于是舍弃太子之位，出家修行，最终觉悟。创立四谛、五蕴、八正道等学说，这些学说构成了佛教的基本教义，他是佛教的创始人。

佛

佛也称"佛陀"、"浮图"，为梵文的音译，意译为"觉者"，即有觉悟的人。它是佛教修行中的最高果位。由于释迦牟尼为佛教创始人，通常将其视为佛的象征。除释迦牟尼佛外，常见的佛还有弥勒佛、阿弥陀佛等。

无量寿佛

无量寿佛也称阿弥陀佛，为西方极乐世界的教主，能够接引信众往生"西方净土"，是佛教净土宗的主要崇拜对象。它有时以独尊形象出现，有时与观音、大势至一同组合成"西方三圣"。

释迦多宝佛

据《法华经》记载，释迦在七叶窟说《法华经》时，地下涌出七佛宝塔，悬于空中。多宝佛于宝塔中踞狮子座，对释迦佛赞叹有加，并分半座给释迦，二佛并坐，共同说法。一时间，天上万种香花纷纷飘下，坠于众生之上，"天花乱坠"即由此而来。就一般情况判断，凡二佛并坐者如果没有特殊说明，应视为释迦多宝题材。二佛是以多宝佛为主的，所以发愿文中常常将多宝佛排在释迦佛的前面，有的甚至只称多宝佛而不称释迦佛。从现存作品看，此图像为中国首创。

旃檀佛

为梵文旃檀那的简称，即中国所称的檀香。利用檀香特有的纹理，制作的佛像，一般称为旃檀佛。旃檀佛最初出现在印度，传为阿育王所造。南北朝时期传入中国后，一直受到上层贵族阶层的信奉。

弥勒

弥勒是梵文的音译，意译为"慈氏"。相传生于南天竺的婆罗门家庭，后成为释迦牟尼弟子。他先于释迦牟尼入灭，上生兜率天。释迦牟尼涅槃后，他下凡尘世，开三番法会，超度世人，继释迦牟尼后成为世间至尊，所以弥勒又称"未来佛"。弥勒有菩萨和佛两种身份，其形象也分菩萨装与佛装两种。一般而言，上生兜率天修行，其身份是菩萨，故穿菩萨装，由兜率天下凡尘世，其身份是佛，故穿佛装。

菩萨

菩萨为梵文"菩提萨埵"的简称。是修持大乘六度、求证无上觉悟、利益众生、于未来成就佛果的修行者，地位仅次于佛。通俗地讲，修菩萨行既可自己成佛，也可以普度众生，使有慧根之人，得道成佛。较常见的菩萨有观音、文殊、普贤、大势至、地藏、弥勒等。

观音

观音也译成"观世音"、"观自在"，是梵文的音译。观音具有无边法力和慈悲心怀，常化成不同的形象，救人于水火危厄之中。其最初为男性形象，后逐渐演化成衣饰华丽、温柔慈祥的女性形象，这种变化反映出中国人对观音的喜爱与崇敬。

千手千眼观音

千手千眼观音为密宗六观音之一，其形象至迟到唐朝已经出现。较为流行的样式有两种：一是刻出千手千臂，每只手中刻绘一只眼睛；一是正中两手合十，另外左右各有手若干只，每只代表一定数目，合数为千。手心有眼，手中持念珠、宝瓶、盾牌、莲蕾、宝镜、法螺、法轮、弓、杵、碗、禅定佛、日、月、印、杨柳枝、绢索、箭、环、骷髅、摩尼宝珠、宝塔、经箧、经卷等法器。

地藏

地藏因"安忍不动犹如大地，静虑深密犹如秘藏"而得名，与文殊、普贤、观音并称为中国四大菩萨。他处于释迦牟尼涅槃之后、弥勒未生之前，发誓要尽度六道众生，拯救诸苦，始愿归成正果，因此也被称为"大愿菩萨"。供养地藏，可得土地丰壤、家宅永安、先亡生天、现存益寿、所求遂意、无水火灾、虚耗辟除、杜绝噩梦、出入神护、多遇圣因等十种利益。地藏形象最早出现在北凉时期，唐、五代、两宋时广为流行，并持续到明清。相传其显灵说法的道场在安徽九华山。形象分沙门、菩萨两种。

文殊

文殊为"文殊师利"的略称，也译作"曼殊室利"、"妙吉祥"，佛教菩萨名。专司"智慧"。在汉传佛教造像中，文殊骑青狮，常与普贤一起出现，为释迦牟尼的胁侍。在藏传佛教造像中，宝剑与经书是文殊的标志。

普贤

普贤也称"三曼多跋陀罗"，佛教菩萨名。专司"理德"，坐骑为白象，常与文殊一起出现，为释迦牟尼的胁侍。

罗汉

罗汉也称尊者、应真，为梵文阿罗汉的简称。是小乘佛教修行的最高果位。其有三义：第一，排除一切烦恼；第二，受到天人供养；第三，进入涅槃境界，永不生死轮回。罗汉因其只能自度而不能度人，所以地位低于菩萨。罗汉中除了释迦胁侍迦叶和阿难外，还有十六罗汉、十八罗汉与五百罗汉。

十八罗汉

据玄奘译《法住记》记载，释迦牟尼曾令十六大阿罗汉常驻人间。这十六大阿罗汉为：宾度罗跋啰惰阇、迦诺迦伐蹉、迦诺迦跋厘惰阇、苏频陀、诺距罗、跋陀罗、迦哩迦、伐阇罗弗多罗、戍博迦、半托迦、罗睺罗、那伽犀那、因揭陀、伐那婆斯、阿氏多、注荼半托迦。后人在此基础上增加《法住记》作者庆有和宾头罗（另一名为宾度罗跋啰惰阇，实际为同一人）而成为十八罗汉。也有增加迦叶与军徒钵叹，或达摩多罗与布袋和尚，或降龙与伏虎罗汉的。

五百罗汉

据《高僧传》记载，五百罗汉在中国最初出现在东晋，地点为天台山。五代显德元年（954年）道潜创建五百罗汉堂，此后这一题材广泛流行。北宋汴梁相国寺、开宝寺、光教寺，韶关南华寺，山东长清灵岩寺，南宋临安净慈寺，金汾州平遥慈相寺中均有五百罗汉像供养，其质地有铜、木、泥、漆等。清朝五百罗汉特别盛行。乾隆时期曾在清漪园（颐和园的前身）和香山碧云寺各修建一座五百罗汉堂，四川新津宝光寺罗汉堂建于咸丰元年（1851年），云南昆明筇竹寺罗汉堂建于建于光绪九年（1883年）。从塑造手法上看，清漪园与碧云寺罗汉堂为皇家寺院的代表，其塑造华美精制，构图布局更显严谨，而筇竹寺与宝光寺则更突出民间雕塑的特征。五百罗汉名称有两种，一是广西宜山县北宋元符元年（1098年）的《供养释迦如来住世十八尊者五百大阿罗汉圣号》摩崖碑刻；一是收于《嘉兴续藏经》43函所载高道素记录的《江阴军乾明院罗汉尊号石刻》，二者所记略有区别。

韦陀

韦陀为南方增长天王神将之一，四大天王、三十二神将之首，主管鬼神。如来欲入涅槃，命其护持南瞻部洲。其造型一般为武将形象，全身铠甲，手持金刚杵，通常安置在天王殿弥勒佛背后，面对大雄宝殿的释迦牟尼佛。

达摩

达摩也做"达磨"，为"菩提达摩"的简称。中国禅宗佛教的创始人。相传为南天竺人。南朝宋时从古代印度航海到广州，在南京因与梁武帝面谈不契，遂渡江北上，先到洛阳，后住嵩山少林寺。授慧可《楞伽经》四卷，禅宗因此得以流传。

犍陀罗

犍陀罗也称"乾陀罗"、"健陀罗"，位于今巴基斯坦北部及阿富汗东北边境一带。犍陀罗为亚洲历史上一个大国，地处古代印度与中亚西亚的交通枢纽，为各种文化艺术交融之地。公元前6～前5世纪，犍陀罗为波斯阿黑美尼德王朝统治，公元前327～前326年，马其顿亚历山大大帝征服此地，犍陀罗文化艺术更多地受到了希腊文化的影响。公元前3世纪中叶，阿育王向国内外派遣许多佛教使团，到达罽宾与犍陀罗的是中际（末阐提），中际此行，为佛教传入犍陀罗之始。1世纪中叶，贵霜帝国兴起，60年左右，占领犍陀罗。3世纪后，波斯萨珊王朝和小月支（寄多罗贵霜）入侵。6世纪时，恹哒人对犍陀罗文化进行了毁灭性打击，许多寺庙被破坏，佛教造像从此衰落。犍陀罗佛教造像成熟于1～2世纪中期，其特征为佛顶有髻，头发呈波浪状，面呈椭圆形，眉目端庄，鼻梁高直，衣纹厚重，以袒右肩者居多，希腊化倾向明显。咀叉始罗与富楼沙城址出土者为其典型代表。

秣菟罗

秣菟罗也称马土腊，古代中国称其为孔雀城，西方则称其为"众神之城"。位于新德里东南130公里牟那河西岸的马土腊市。公元前6世纪为古代印度古代16国之一的苏罗森那国的首府，后并入摩揭陀国。孔雀王朝阿育王时期，任孔雀王朝训导师的近护（邬波毱多）曾在那吒婆吒寺为数千人度数千人为僧人，佛教因此在秣菟罗地区广为流行。贵霜王朝时期，秣菟罗处于陪都的地位。当时的国王胡维色迦曾用大量纪念性雕塑，美化这座城市。约4世纪中叶，秣菟罗并入笈多版图，开始了佛教造像的黄金阶段。公元400年，中国高僧法显在访问秣菟罗时描述道："摩头罗有遥捕那河，河边左右有20僧伽蓝，可有三千僧，传法轮盛……国王皆信佛法……自佛般泥洹后诸国王、长者、居士为众僧起精舍供养，供给田宅、园圃、民户、牛犊、铁券水录。"6世纪初，恹哒人入侵秣菟罗，抢劫、毁坏众多佛教艺术珍品，秣菟罗佛教造像艺术，开始走向衰亡。秣菟罗艺术是古代印度创造出的一种佛教造像形式。分迦腻色迦、胡维色迦与波薮提婆、笈多4四个阶段。在象征物与前迦腻色迦时期，是以象征物来表示释迦的。这些象征物主要有大象、狮子、菩提树、佛足、三宝标等。但到了后期，人格化的佛像，已经出现。佛无肉髻，而是贝壳形结发，眼睛突出，手中多持有朱利草，身光多素面，少数外边缘刻连弧纹，叠涩须弥座，有双狮承托。其造像源自耆那教供施像板及印度早期的药叉形象。总体上看，其造像尚处于原始、粗糙阶段。迦腻色迦造像的特点为高浮雕，贝壳式结发，眉骨突出，眉间有白毫，眼睛呈杏仁状，耳垂较小。面部略带微笑，胸部突起，肚脐较深。坐像袈裟通常遮盖左半部，即袒右肩，左肩缠绕处略显厚重。立像袈裟轻薄，有透体效果，且少见衣褶。背光更加复杂，较前期增加了菩提树叶和持花环的飞天。佛座则沿袭象征物与前迦腻色迦时期，代表性的作品为卡特拉出土的佛像。胡维色迦与波薮提婆时期，佛像开始受到犍陀罗风格的影响，发髻变高，螺发渐次替代贝壳式结发，大衣厚重，衣褶加宽，一铺三尊式成为流行样式。笈多时期佛教造像更加精美细致，特别注重细部的描绘与神祇内心世界的表达。面部沉静，眼睛呈水平状态，耳垂加长，身躯颀长，轻薄袈裟再度复兴，衣褶呈棱线或阶梯状。

四生

佛教用语。指六道众生的四种形态。即卵生，从卵壳而生，有鸡、雀等；胎生，从母胎而生，有人与畜生等；湿生，从湿气而生，有虫子等；化生，无所依托，借助业力而生，有天神、饿鬼、地狱中的受苦者等。

六趣

佛教用语。又称六道，即地狱、饿鬼、畜生、人、天、阿修罗。佛教认为众生根据生前善恶行为轮回转生的六种不同结果。

龙华之期

佛教用语。也称龙华三会。佛教教义中所说的宇宙自开创至最后消亡的三个阶段。初会是燃灯佛铁菩提树开花，二会是释迦牟尼佛铁菩提树开花，三会是弥勒佛铁菩提树开花。一般信众多期待的是弥勒佛降世，超度人们到达极乐世界。

邑义

邑义（仪）也称邑、法义、邑会、义会、会、菩萨因缘等。它由信仰佛教的在家居士组成，是以佛事（其中主要为造像）活动为中心的一种民间组织。

维那

维那（唯那），也称"悦众"、"寺护"，为梵文的意译。维那含义有三：一为在政府中担任管理僧众事物的人；二为寺院中负责寺院具体事务的僧人；三为民间邑义组织的管理者与出资较多的造像施主。

修德寺造像

河北省曲阳县城西南修德寺旧址，1953～1954年出土了数量众多的石佛像。其中内含纪年造像271躯，跨越北魏、东魏、北齐、隋、唐数朝，时间长达230年。北魏佛像颈细长，肩胛稍窄，衣褶厚重重叠，裙底边较宽。东魏佛像以兴和为界分为前后两期，兴和以前基本沿袭北魏晚期传统，兴和以后由瘦长向矮胖过渡，装饰手法日趋疏简。北齐造像组合多样，五官紧凑，面颊圆润，服饰简洁，给人轻薄流畅之感。透雕的广泛使用，增强了作品的艺术表现力。隋唐造像富有质感，雕刻技巧更趋成熟。天宝以后，这一地区受战乱、毁佛事件的影响，造像逐渐衰落。曲阳修德寺佛像以质地洁白、雕刻精美、多具发愿文等特点成为河北地区佛像的代表，与青州龙兴寺、成都万佛寺并称为中国最重要的三处佛教寺院考古发现。

善业泥

善业泥也称善业佛，因背面印有"大唐善业泥，压得真如妙色身"而得名。"善业"是指人的积善行为。佛教认为人们只有通过积累善业，才能使自己离开邪恶，进入正道，获得爱果，达到涅槃境界。善业泥佛像是将和好的泥土，压印在木模或铜模上，取出阴干后，再经过低温烧造而成的小型泥质佛像。它是玄奘从印度归国后，仿效印度做法，以为唐太宗与长孙皇后祈福之机，在都城长安制造的一种佛像。从空间而论，此一风尚只流行于长安及其周围地区，在距长安不远的东都洛阳至今未见善业泥佛像的踪影。就时间而言，主要出现在唐永徽、显庆年间，玄奘圆寂后，善业泥佛像制作从颠峰骤然跌至低谷。

南华寺木雕罗汉

南华寺位于广东省曲江县正南10多公里处。寺建于南朝梁武帝天监年间（502～519年），是由印度到中国传教的智药三藏修建的，初名"宝林"。唐时禅宗六祖慧能在此传经授法，南华寺遂在禅林享有很高的声誉，成为南中国最富盛名的佛教寺院。木雕罗汉最初为500尊，现存360尊，140尊毁于火灾。木雕罗汉雕造于北宋庆历五年至八年（1045～1048年），是由客居广州的连州、泉州、衢州、潮州人捐资修造，在广州雕成后运至曲江的。从发愿文看，其捐造目的多是为家庭祈福，"保安吉"、"乞延寿平安"、追荐亡人早生净土。所用木材多数为柏木，少数为楠木、樟木、檀香木，柏木质硬，纹理细密，在当地较为珍贵。一般高49.5～58厘米，全部为坐姿。每尊像由像和底座二部分组成，座有束腰须弥座、长方形透雕镂空花石形空心座、半圆形透雕空心座等多种。多数正面凸出一块方形，用以刻写发愿文。像身多以现实人物为参照对象，形态各异。

德化窑瓷塑佛像

德化窑位于福建腹地山区的德化县，始于唐代，宋代起开始生产白瓷，明代达到了高峰。德化窑瓷土中氧化硅含量较高，胎体细密，透光度好，釉色纯净。以白色为基调，摒弃彩饰，更强化了作品不同凡响的超尘境界，使其在明代众多佛教题材作品中，独具风韵。何朝宗为其中的杰出代表。他不仅善于掌握烧制过程中瓷土的收缩度，使作品立体质感更加突出，而且注重人物神情的刻画，使之具有超凡绝俗的气质。何朝宗等人的艺术创作，深深地影响了后世。清代德化窑、景德镇窑等瓷窑，仍大量生产此类作品。

石叟

石叟是明代晚期一位佛像冶铸艺人。他的作品主要为佛教人物，观音尤多。所用铜材，并以紫铜为主。这种紫铜质地精细，润泽发光。石叟造像注重对作品神韵的塑造，所嵌银丝，纤细流畅。

藏传佛教

藏传佛教兴起于公元6世纪后期松赞干布统一西藏之时。松赞干布是西藏历史上著名的赞普，其统一西藏后，积极同中原的唐朝与邻国尼泊尔发展睦邻关系，迎请唐文成公主与尼泊尔尺尊公主入藏。文成公主与尺尊公主入藏，带去了大量的佛经及佛像，佛教与佛像开始出现在青藏高原上。但这时的佛教，影响力很小，人们信奉的仍是其本民族的原始宗教——苯教。所以，松赞干布死后，佛教受到了排斥，很快就消失了。这就是藏传佛教历史上的"前弘期"。藏传佛教的"后弘期"，始于公元10世纪后期，经历了三个阶段：10世纪末至14世纪，为引进阶段。前弘期的佛教，由于朗达玛王的灭佛，西藏诸地的佛教几乎绝迹。10世纪后期佛教在西藏重新兴起后，再次向国外求经。这一时期对西藏佛教影响最大的是尼泊尔、克什米尔、东印度等地。15世纪至17世纪中期，西藏在本土文化迅速发展的同时，佛教也得到了长足发展，特别是在前一时期广泛吸收尼泊尔、克什米尔、东印度地区佛教的基础上，

本土文化渗透日深、日强、日烈，形成了独特的藏传佛教系统。此期佛教，为成熟阶段。从17世纪后半期起，藏传佛教发生了很大的变化，变化的直接原因，是清政府对西藏地区的直接管理。满族是继蒙古族后又一个直接管理西藏各项事物的中央政府。顺治、康熙时，尚处于间接管理时期，雍正即位后，清朝中央政府开始直接负责西藏政治与僧俗事务。这一历史变更，在许多方面影响了藏传佛教的发展历程，此期佛教，为转变阶段。

永乐、宣德款铜造像

永乐、宣德款铜造像是指由明朝宫廷专门制作、用于颁赐蒙藏地区并刻有"大明永乐年施"、"大明宣德年施"款式的一种造像样式。题材有释迦牟尼、弥勒、文殊、观音、佛母、大黑天等。造像的底座为双层仰覆莲座，仰莲瓣略短，覆莲瓣稍细长，莲座底部略大于上部，平稳均衡。莲座上层和下层各有一周镶嵌整齐有序的联珠纹饰。"大明永乐年施"、"大明宣德年施"款识多镌刻于基座上部中间部位。永乐、宣德款铜造像铜材上乘，铸造工艺精湛，衣饰华丽，装饰繁缛精细，具有明显的明代宫廷造像风格。

袈裟

袈裟也称离染服、出世服、无垢衣、田相衣、莲花衣等，是梵文的音译，其本义为坏色、不正色。根据佛教戒律，僧服不许用青、黄、赤、白、黑五正色及绯、红、紫、绿、碧五间色，而只能用铜青等三种杂色，故称其为坏色、不正色。礼敬袈裟，可得慈悲之心，有充足的饮食，在解脱的道路上不退转，达到声闻、缘觉、菩萨的修行果位。随着僧官系统的建立，袈裟的质地、颜色也有所区别，地位较高的高僧大德可得赐紫袈裟，主持法事活动时也可穿金襕衣。

僧衹支

佛教僧尼所穿的一种内衣。僧衹支为梵文的音译，也译为"僧却崎"、"僧竭支"、"僧脚差"等，意译为"掩腋衣"、"覆肩衣"。为一种长形衣片，从左肩穿至腰下。穿僧衹支主要是避免僧尼活动时露出不雅的地方。

结跏趺坐

结跏趺坐是以左右两脚的脚背置于左右两股上，足心朝天的一种坐姿。也称全跏趺坐，它是佛像中最常见的一种坐法。又可细分为两种：先以右足押左股，后以左足押右股，称为降魔坐；先以左足押右股，后以右足押左股，称为吉祥坐。佛教认为这种坐法最安稳，不容易疲劳，且身端心正。相传释迦牟尼在菩提树下进入禅思，修悟正道，采用的就是这种坐姿。单以右足押左股或以左足押右股，称为半跏趺坐。

手印

手印是指佛教诸神双手与手指所结的各种姿势。因为手势的不同，名称也不同，其所具有的特定含义也不同。常见的手印有禅定印、说法印、无畏印、与愿印等。禅定印是佛陀入于禅定时所结的手印，具体姿势为跏趺坐姿，两手平放于腿上，一掌置于另一掌之上。双手仰放下腹前，右手置左手上，两拇指相接。说法印是以拇指与中指（或食指、无名指）相捻，其余各指自然舒散，这一手印象征佛说法之意。无畏印是将手上举于胸前，手指自然舒展，手掌向外。意为佛能救济众生，使众生心安，无所畏怖，因此称为无畏印。与愿印又称施愿印、满愿印，是以手下垂于膝前，指端下垂，手掌向外，表示佛、菩萨能使众生所祈求之愿都能实现之意。此印往往和施无畏印配合。一般左手为与愿印，右手为无畏印。

背光

背光指佛、菩萨像背后之光相，常作火焰纹。火焰象征佛、菩萨之智慧。大至分为项光（又称头光）和身光（又称举身光、舟形光）二种，其形式依时代、地域、佛、菩萨的种类而有所不同。

发愿文

发愿文也称造像记。指刻于佛教造像上记载造像者姓名、造像时间、造像目的、佛像名称等内容的一种文体。

供养人

佛教称以香花、灯明、炊食等资养三宝为供养。以香花、饮食等供养称财供养；以修行、利益众生的供养叫法供养。提供供养者便是供养人。一般而言，供养人或是世俗信徒，或是出家的僧人。世俗信徒是主要出资者，即财供养，而僧人多为组织者，并为财供养者提供。

神王

神王为佛教护法神祇。其最初原型可能来自印度，但进入中国后迅速与华夏传统文化相结合，形成独具特色的造像形式。神王以陕西省兴平县出土的北魏皇兴五年（471年）石交脚弥勒像为最早。北魏洛阳龙门、巩县石窟中开始出现神王形象。北齐神王题材以石窟中居多，响堂山石窟、小南海石窟、大住圣窟、大留圣窟造像基座中均有发现。有明确铭识的神王为东魏武定元年（543年）骆子宽等70人造释迦五尊像，其像座两侧及后面刻有10神王像，从右向左排列顺序为龙神王、风神王、珠神王、火神王、树神王、山神王、河神王、象神王、鸟神王、狮子神王。此后，单体造像中的神王日益受到人们的关注，其在护法诸神中的地位愈来愈重要，出现的频率越来越高。

夹纻

纻是麻属植物。夹纻也称脱砂、夹纾、挟纻、传换。是一种用漆与布帛塑像的方法。先泥塑成胎，然后用麻布贴在泥胎外面，涂漆，待漆干后再贴布帛。反复贴涂数次，最后把泥胎打碎取出。这种塑像质地很轻，能长期保存。夹纻造像可能出现在魏晋南北朝时期，唐朝开始流行起来。释慧琳《一切经音义》中注释有关夹纻时，说其为"脱空像漆布为之"。《朝野金载》："周证圣元年，薛师名怀义，造功德堂一千尺于明堂北，其中大像高九百尺，鼻如千斛船，中容数十人并坐，夹纻以漆之。"陶宗仪《南村辍耕录》记载元朝的刘元"从阿尼哥国公学西天梵相，神思妙合，遂为绝艺。凡两都名刹，有塑土范金，传换为佛，一出元之手，天下无与比。所谓传换者，漫帛土偶上而髹之，已而去其土，髹帛俨然像也。昔人尝为之，至元尤妙。"由于刘元的成功，夹纻塑像的方法被广泛采用，并沿袭至明清。

　　※ 本词汇以陶俑、画像石、画像砖、佛教造像等类别顺序排列，词汇的选立以文物说明中所涉及内容为主。

图版索引

俑

后 记

《故宫经典》是从故宫博物院数十年来行世的重要图录中，为时下俊彦、雅士修订再版的图录丛书。

故宫博物院建院八十余年，梓印书刊遍行天下，其中多有声名皎皎人皆瞩目之作，越数十年，目遇犹叹为观止，珍爱有加者大有人在；进而愿典藏于厅室，插架于书斋，观赏于案头者争先解囊，志在中鹄。

有鉴于此，为延伸博物馆典藏与展示珍贵文物的社会功能，本社选择已刊图录，如朱家溍主编《国宝》、于倬云主编《紫禁城宫殿》、王树卿等主编《清代宫廷生活》、杨新等主编《清代宫廷包装艺术》、古建部编《紫禁城宫殿建筑装饰——内檐装修图典》等，增删内容，调整篇幅，更换图片，统一开本，再次出版。唯形态已经全非，故不再蹈袭旧目，而另拟书名，既免于与前书混淆，以示尊重；亦便于赓续精华，以广传布。

故宫，泛指封建帝制时期旧日皇宫，特指为法自然，示皇威，体经载史，受天下养的明清北京宫城。经典，多属传统而备受尊崇的著作。

故宫经典，即集观赏与讲述为一身的故宫博物院宫殿建筑、典藏文物和各种经典图录，以俾化博物馆一时一地之展室陈列为广布民间之千万身纸本陈列。

一代人有一代人的认识。此番修订以及今后此系列的陆续出版，将会延伸博物馆的社会功能，并回报关爱故宫、关爱故宫博物院的天下有识之士。

2007 年 8 月